기출지문으로 공략하는

처음 만나는 수능 어법

Workbook

Starter

입문

Preview

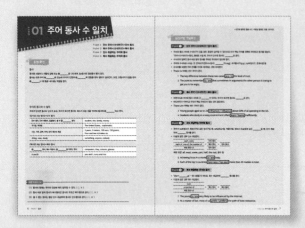

1

- **문법 확인**
  문법 항목에 따른 기본 문법 용어 확인

- **개념 마무리 ○✕**
  문법의 기본 개념을 ○✕ 퀴즈로 풀기

- **실전어법 개념확인**
  어법 Point 개념의 빈칸 채우고 개념확인 문제 풀기

2

- **어법 REVIEW1 문장 어법연습하기**
  고1 모의고사 기출지문 추출
  새로운 문장 단위 어법 Point 문제 풀고 이유 쓰기

3

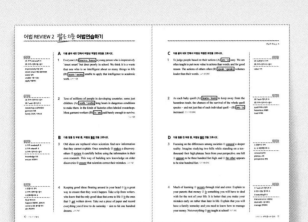

- **어법 REVIEW2 짧은 지문 어법연습하기**
  새로운 단문 단위 어법 Point 문제 풀기
  어법 Point 한 번 더 점검

4

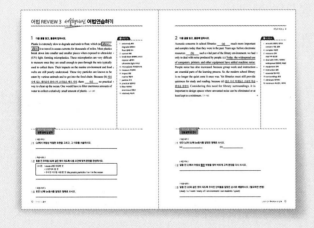

- **어법 REVIEW3 서술형 내신**
  어법연습하기
  본책에서 학습한 기출 지문으로 어법 서술형 문제
  반복 학습

- **학교시험 서술형 단골 문제 감 잡기**
  새로운 기출 지문으로 학교 내신 시험문제 유형의
  지문 서술형 문제 풀기

Contents

01 주어 동사 수 일치

문법 확인

동사

동사란 사람이나 사물의 상태 또는 ❶_____을 나타내며, be동사와 일반동사 등이 있다.

동사는 대개 주어 ❷_____에 오는데 주어의 인칭과 ❸_____에 영향을 받아 형태가 달라진다. 또한, 조동사의 도움을 받아 ❹_____나 태 등을 나타내는 역할을 한다.

주어와 동사의 수 일치

주어가 단수면 동사도 단수가 오고, 주어가 복수면 동사도 복수가 오는 것을 '주어와 동사의 ❺_____'라고 한다.

〈단수로 쓰는 명사〉+단수 동사

단수 명사, 단수 대명사, 집합명사, 셀 수 ❻_____ 명사	student, she, family, money
국가명, 학과명	The United States, mathematics
시간, 거리, 금액, 무게, 숫자 계산의 개념	5 years, 3 meters, 100 won, 150 grams, Four and two is/makes six.
-thing, -one, -body	something, anyone, nobody

〈복수로 쓰는 명사〉+복수 동사

❼_____ 명사, 복수 대명사, ❽_____을 이루는 명사	computers, they, scissors, glasses
A and B	you and I

개념 마무리 OX

(1) 동사의 형태는 주어의 인칭에 따라 달라질 수 있다. (O, ×)

(2) 동사 바로 앞의 명사가 복수형이면 동사도 무조건 복수형으로 쓴다. (O, ×)

(3) 셀 수 없는 명사는 항상 단수 취급하여 동사도 단수형으로 쓴다. (O, ×)

실전어법 개념확인

Point ❶   단수 주어 + (수식어구) + 단수 동사

• 주어와 동사 사이에 수식어구가 있을 경우, 문장이 길어질 수 있으므로 먼저 핵심 주어를 정확히 파악하고 동사를 찾는다.
「주어 + (수식어구) + 동사」 형태로 쓰일 때, 주어가 단수면 동사도 _____로 쓴다.
• 수식어의 일부인 동사 바로 앞의 명사를 주어로 착각하지 않도록 한다.
• 주어의 수식어로 쓰이는 것: 전치사구(전치사+명사), _____ 구(-ing), 과거분사구(p.p.), to부정사구, 관계사절 등
• 수식어를 포함한 주부 전체를 주어로 해석하는 것에 유의한다.
• There is 뒤에는 단수 주어가 온다.

   1 The key difference between these two cases ⎡are / is⎤ the level of trust.

   2 The point to remember ⎡is / are⎤ that sometimes in arguments the other person is trying to get you to be angry.

Point ❷   복수 주어 + (수식어구) + 복수 동사

• 마찬가지로 주어와 동사 사이에 긴 _____ 가 있어도 주어가 복수면 동사도 _____로 쓴다.
• 어디까지가 주부이고 무엇이 핵심 주어인지 찾는 것이 중요하다.
• There are 뒤에는 복수 주어가 온다.

   3 Young people aged six to 24 ⎡influences / influence⎤ about 50% of all spending in the US.

   4 Students who study in a noisy environment often ⎡learn / learns⎤ inefficiently.

Point ❸   단수 취급하는 주어와 동사

• 주어가 to부정사구, 동명사구와 같은 명사구일 때, whether절, 의문사절, 접속사 that절과 같은 _____ 일 때, 단수 취급하여 _____ 동사를 쓴다.
• 다음과 같은 경우 단수 취급한다.

each, every		단수 명사		
each of, one of, the number of	+	복수 명사	+	단수 동사
부분 표현 + of		단수 명사		

부분 표현: all, most, some, part, half, the rest, 분수 등

   5 Achieving focus in a movie ⎡is / are⎤ easy.

   6 Each of the top 5 countries ⎡have won / has won⎤ more than 40 medals in total.

Point ❹   복수 취급하는 주어와 동사

• 「the + _____」는 '~한 사람들'의 의미로, 복수 취급하여 _____ 동사를 쓴다.
• 다음과 같은 경우 복수 취급한다.

both				
a number of	+	복수 명사	+	복수 동사
부분 표현 + of				

   7 The young ⎡is / are⎤ very likely to be influenced by the Internet.

   8 As a matter of fact, most of us ⎡prefer / prefers⎤ the path of least resistance.

어법 REVIEW 1 문장 어법연습하기

A 다음 중 어법상 적절한 표현을 고른 후, 그 이유를 쓰시오.

> **e.g.** To produce something worthwhile requires / require years of fruitless labor. [고1 3월 응용]
>
> to부정사구 주어는 단수 취급

1 How a person approaches the day impacts / impact everything else in that person's life.
[고1 9월]

2 Surveys show that around a third to two-thirds of all retail prices now ends / end in a 9.
[고1 11월]

3 Having the ability to take care of oneself without depending on others were / was considered a requirement for everyone. [고1 6월]

4 These findings illustrate that mere contact experiences of physical warmth activate / activates feelings of interpersonal warmth. [고1 6월]

5 For health science invention, the percentage of female respondents was / were twice as high as that of male respondents. [고1 9월]

6 The social structure of many communities, from African tribes to Spanish gypsies, gains / gain much cohesion from the group activity of dancing. [고1 11월 응용]

7 Strong influence on traffic jams and pollution can be felt from Toronto to New York, as each shared vehicle replace / replaces around 10 personal cars. [고1 3월]

---

e.g. worthwhile 가치 있는 require 필요로 하다, 요구하다 fruitless 결실 없는 labor 노동 1 approach 접근하다 impact 영향을 끼치다
2 retail 소매 3 requirement 요구 4 illustrate 보여 주다 mere 단지, 다만 activate 활성화하다 interpersonal 대인관계와 관련된
5 respondent 응답자 twice as high as 두 배만큼 높은 6 cohesion 결속 7 shared vehicle 공유 차량 replace 대체하다

B 다음 밑줄 친 부분을 어법에 맞게 고친 후, 그 이유를 쓰시오.

| e.g. | The old <u>was</u> wearing an old turban on their head. [고1 11월 응용] |

were

「the+형용사」는 '~한 사람들'이라는 뜻으로, 복수 취급

1 If you want the TV installed, there <u>are</u> an additional $50 fee. [고1 9월]

2 To understand our natural hate of being uncomfortable <u>are</u> important. [고1 9월]

3 Some of the early dramatic plays and poetry <u>was</u> produced by the Greeks. [고1 11월 응용]

4 Attaining the life a person wants <u>are</u> simple. [고1 9월]

5 Each of the zoo chimpanzees and orangutans participating in a study <u>were</u> individually tested in a room. [고1 9월 응용]

6 Studies from cities all over the world <u>shows</u> the importance of life and activity as an urban attraction. [고1 3월]

7 Consumers who have a high need for touch <u>tends</u> to like products that provide this opportunity. [고1 3월]

---

1 fee 요금   3 dramatic play 연극   poetry 시   produce 만들어 내다   4 attain 얻다   5 participate 참여하다   6 urban 도시
attraction 매력   7 consumer 소비자   provide 제공하다   opportunity 기회

어법 REVIEW 2 *짧은 지문* 어법연습하기

Point

(A) 주어 everyone의 수
(B) 주어+관계사절+동사

impressively 인상 깊게
street smart 세상 물정에 밝은
waste 낭비
unable ~할 수 없는
apply 적용하다

A 다음 글의 네모 안에서 어법상 적절한 표현을 고르시오.

1 Everyone (A) knows / know a young person who is impressively "street smart" but does poorly in school. We think it is a waste that one who is so intelligent about so many things in life (B) seem / seems unable to apply that intelligence to academic work. [고1 11월]

Point

(A) 주어+전치사구+동사
(B) 「most+명사」의 수

sweatshop 노동 착취 공장
garment 의류
barely 간신히, 가까스로

2 Tens of millions of people in developing countries, some just children, (A) work / works long hours in dangerous conditions to make them, in the kinds of factories often labeled sweatshops. Most garment workers (B) is / are paid barely enough to survive.

[고1 9월]

Point

① 주어 somebody의 수
② 주어 others의 수
③ 주어+전치사구+동사

knowledge 지식
ensure 보장하다

B 다음 밑줄 친 부분 중, 어법상 틀린 것을 고르시오.

3 Old ideas are replaced when scientists find new information that they cannot explain. Once somebody ① makes a discovery, others ② review it carefully before using the information in their own research. This way of building new knowledge on older discoveries ③ ensure that scientists correct their mistakes. [고1 9월]

Point

① 동명사구 주어
② 주어+관계사절+동사
③ 관계대명사의 수

float 떠다니다
happen 발생하다, 일어나다
come to life 활기를 띠다
aim 목표하다

4 Keeping good ideas floating around in your head ① is a great way to ensure that they won't happen. Take a tip from writers, who know that the only good ideas that come to life ② is the ones that ③ get written down. Take out a piece of paper and record everything you'd love to do someday — aim to hit one hundred dreams. [고1 3월]

C 다음 글의 네모 안에서 어법상 적절한 표현을 고르시오.

1 To judge people based on their actions (A) are / is easy. We are often taught to put more value in actions than words, and for good reason. The actions of others often (B) speak / speaks volumes louder than their words. [고1 9월 응용]

Point
(A) to부정사구 주어
(B) 주어+전치사구+동사

value 가치

2 As each baby quoll (A) learns / learn to keep away from the hazardous toads, the chances of the survival of the whole quoll species – and not just that of each individual quoll – (B) are / is increased. [고1 11월 응용]

Point
(A) 「each+명사」의 수
(B) 주어+전치사구+동사

quoll 주머니고양이
hazardous 위험한
toad 두꺼비

D 다음 밑줄 친 부분 중, 어법상 <u>틀린</u> 것을 고르시오.

3 Focusing on the differences among societies ① <u>conceal</u> a deeper reality. Imagine studying two hills while standing on a ten-thousand-foot-high plateau. Seen from your perspective, one hill ② <u>appears</u> to be three hundred feet high, and ③ <u>the other</u> appears to be nine hundred feet. [고1 11월 응용]

Point
① 동명사구 주어
②, ③ 부정대명사의 수

conceal 숨기다
plateau 고원
perspective 관점

4 Much of learning ① <u>occurs</u> through trial and error. Explain to your parents that money ② <u>is</u> something you will have to deal with for the rest of your life. It is better that you make your mistakes early on rather than later in life. Explain that you will have a family someday and you need to know how to manage your money. Not everything ③ <u>are</u> taught at school! [고1 3월]

Point
① 「much of+명사」의 수
② 셀 수 없는 명사의 수
③ everything의 수

trial and error 시행착오
deal with ~을 다루다
manage 관리하다

1 다음 글을 읽고, 물음에 답하시오.

Plastic is extremely slow to degrade and tends to float, which (a) allows / allow it to travel in ocean currents for thousands of miles. Most plastics break down into smaller and smaller pieces when exposed to ultraviolet 3 (UV) light, forming microplastics. These microplastics are very difficult to measure once they are small enough to pass through the nets typically used to collect them. Their impacts on the marine environment and food 6 webs are still poorly understood. These tiny particles are known to be eaten by various animals and to get into the food chain. Because (b) 바다 속에 있는 대부분의 플라스틱 조각들은 매우 작다, there ____(c)____ no practical 9 way to clean up the ocean. One would have to filter enormous amounts of water to collect a relatively small amount of plastic. [고1 6월]

VOCA

1 extremely 매우
degrade 분해되다
float (물에) 뜨다
2 current 해류
3 break down 분해하다, 부수다
expose 노출하다
ultraviolet light 자외선
4 microplastic 미세 플라스틱
5 measure 측정하다
6 impact 영향
marine 해양의
7 particle 조각
9 practical 실질적인
10 filter 여과하다
enormous 엄청난
11 relatively 비교적

**학교시험 서술형
단골 문제 감 잡기**

| 어법 파악 |

O1 (a)에서 어법상 적절한 표현을 고르고, 그 이유를 서술하시오.

| 어법+영작 |

O2 밑줄 친 우리말 (b)와 같은 뜻이 되도록 다음 조건에 맞게 문장을 완성하시오.

〈조건〉 • most of를 사용할 것
• 11단어로 쓸 것
• 주어진 어구를 사용할 것: the plastic particles / so / in the ocean

| 어법 파악 |

O3 빈칸 (c)에 be동사를 알맞은 형태로 쓰시오.

정답과 해설 **p. 3**

2 다음 글을 읽고, 물음에 답하시오.

Acoustic concerns in school libraries ____(a)____ much more important and complex today than they were in the past. Years ago, before electronic resources ____(b)____ such a vital part of the library environment, we had only to deal with noise produced by people. (c) <u>Today, the widespread use of computers, printers, and other equipment have added machine noise.</u> People noise has also increased, because group work and instruction are essential parts of the learning process. So, the modern school library is no longer the quiet zone it once was. Yet libraries must still provide quietness for study and reading, because (d) <u>많은 우리 학생들은 조용한 학습 환경을 원한다</u>. Considering this need for library surroundings, it is important to design spaces where unwanted noise can be eliminated or at least kept to a minimum. [고1 6월]

VOCA

1 acoustic 음향의, 청각의
concern 걱정, 염려
2 complex 복잡한
3 resource 장비
vital 아주 중요한
4 deal with 다루다, 처리하다
widespread 광범위한, 폭넓은
5 equipment 장비
6 instruction 설명
7 essential 필수적인
10 surroundings 환경
11 eliminate 제거하다
12 minimum 최소한도, 최저치

학교시험 서술형
단골 문제 감 잡기

| 어법 파악 |

01 빈칸 (a)와 (b)에 be동사를 알맞은 형태로 쓰시오.

(a) ____________ (b) ____________

| 어법 파악 |

02 밑줄 친 (c)에서 어법상 <u>틀린</u> 부분을 찾아 바르게 고쳐 문장을 다시 쓰시오.

____

| 어법+영작 |

03 밑줄 친 (d)와 같은 뜻이 되도록 주어진 단어들을 알맞은 순서로 배열하시오. (필요하면 변형)

(study / a / want / many of / environment / our students / quiet)

____

UNIT 02 동사의 시제

Point 1 단순시제 – 현재 / 과거 / 미래
Point 2 진행시제 – 현재진행 / 과거진행 / 미래진행
Point 3 완료시제 – 현재완료 / 과거완료
Point 4 과거 vs. 현재완료

문법 확인

동사의 시제

단순시제	현재	❶_____/are/is, 일반동사 현재	~한다
	과거	was/were, 일반동사 과거	~하였다
	미래	❷_____+동사원형	~할 것이다
완료시제	❸_____	have/has+p.p.	(지금까지) 계속 ~해 오다 〈계속〉 (지금까지) ~한 적이 있다 〈경험〉 (지금) ❹_____ 〈완료〉 (과거에) ~해서 (지금) …하다, …해 버렸다 〈결과〉
	과거완료	❺_____+p.p.	(과거 한 시점까지) 계속 ~해 왔다 〈계속〉 (과거 한 시점까지) ❻_____ 〈경험〉 (과거의 한 시점에) 막 ~했다 〈완료〉 (과거 기준보다 이전에) ~해서 (과거의 한 시점에) …했다, …해 버렸었다 〈결과〉
	미래완료	will have+p.p.	(미래 한 시점까지) 계속해서 ~해 왔을 것이다 〈계속〉, 〈경험〉 (미래의 한 시점에) 막 ~하게 될 것이다, ~되어 있을 것이다 〈완료〉, 〈결과〉
진행시제	현재진행	am/are/is+-ing	(지금) ~하는 중이다
	과거진행	❼_____/were+-ing	(과거에) ~하는 중이었다
	미래진행	will be+-ing	(미래에) ~하는 중일 것이다

개념 마무리 OX

(1) 일반동사의 과거형은 주어의 인칭과 수에 따라 변한다. (○, ×)

(2) 현재완료 시제는 과거부터 현재까지의 계속, 경험, 완료, 결과를 나타낸다. (○, ×)

(3) 진행시제는 동사의 과거분사를 이용하여 쓴다. (○, ×)

실전어법 개념확인

Point ❶ 단순시제 – 현재 / 과거 / 미래

- 현재시제: 현재의 동작이나 상태, 일반적인 _____, 습관, _____ 행동, 불변의 _____, 격언, 속담
- 과거시제: 과거의 동작이나 상태, _____ 사실
- 미래시제: 미래의 동작이나 상태, 주어의 _____ 표현, 계획 또는 예정
- 시간이나 조건의 부사절(when, before, after, until, if, unless, as soon as 등)에서는 _____가 미래시제를 대신한다.
  cf. 명사절과 _____에서는 미래를 나타낼 때 미래시제를 쓰는 것에 유의한다.
- 왕래발착동사(go, come, depart, arrive, leave, begin, start 등)는 현재형으로 미래시제를 나타낼 수 있다.

  1 If you will be / are not careful, you will waste valuable mental space trying to figure out their real feelings.

Point ❷ 진행시제 – 현재진행 / 과거진행 / 미래진행

- 현재진행 시제(am/are/is+-ing): 현재 진행 중인 동작이나 가까운 미래의 예정
- 과거진행 시제(was/were+-ing): 과거의 특정 시점에 진행 중이던 동작
- 미래진행 시제(will be+-ing): _____의 특정 시점에 진행 중일 동작
- 일반적으로 진행형으로 쓰지 않는 동사

소유	have, belong, own ...	인지	think, know, believe, remember, understand ...
상태	seem, resemble ...	지각	feel, taste, smell, sound, look ...
감정	like, love, hate, want ...		

  2 From next week, you are working / will be working in the Marketing Department.

Point ❸ 완료시제 – 현재완료 / 과거완료

- 현재완료 시제(have/has+p.p.): 과거에 일어난 일이 _____까지 영향을 미친다. 〈완료, 경험, 계속, 결과〉
- 과거완료 시제(had+p.p.): 과거보다 _____ 있었던 일이 과거의 어느 시점까지 영향을 미친다. 〈완료, 경험, 계속, 결과〉
- 완료시제와 자주 쓰이는 표현

완료	just, already, yet ...	경험	ever, never, before, once ...
계속	since, for, so far, how long ...	결과	go, come, leave, lose ...

  3 When the boy learned that he misspells / had misspelled the word, he went to the judges and told them.

Point ❹ 과거 vs. 현재완료

- 과거시제: _____의 특정 시점에 일어나 이미 끝난 일을 나타낼 때 쓴다.
- 현재완료: 과거의 일이 _____까지 영향을 미쳐 현재와 관련이 있을 때 쓴다.

명백한 과거를 나타내는 표현	yesterday, _____, last, just now, when, 「_____+연도」등
현재완료와 자주 사용되는 표현	so far, just, already, yet, ever, never, before, 「_____+과거 시점」, 「for+_____」등

  4 They existed / have existed around 200 million years ago, and we know about them because their bones was preserved / have been preserved as fossils.

어법 REVIEW 1 문장 어법연습하기

A 다음 중 어법상 적절한 표현을 고른 후, 그 이유를 쓰시오.

> **e.g.** All my best friends and I hoped / had hoped to go to the same high school, but I was the only one who would attend a different one. [교과서]
>
> 과거보다 앞선 일이므로 대과거(과거완료)

1 He died / has died of cardiac disease in Chicago in 1923. [고1 11월]

2 He looked into the crowd. The audience at the contest are laughing / were laughing out loud now, at him, at his inability. [고1 3월]

3 We believe that the quality of the decision is / was directly related to the time and effort.

[고1 3월 응용]

4 Simply send back the card today and you will continue / would continue to receive your monthly issue of *Winston Magazine*. [고1 6월]

5 The more active you are today, the more energy you spend / will spend today and the more energy you will have to burn tomorrow. [고1 11월]

6 This finding was not new, as humans has observed / had observed the rainbow since the beginning of time. [고1 6월]

7 But even if they feature in stories created today, they have always been / had always been the products of the human imagination and never existed. [고1 6월]

---

1 cardiac disease 심장병　　2 inability 무능, 불능　　5 burn 불태우다, 소모하다　　6 observe 관찰하다　　7 feature 특징을 이루다　　imagination 상상

B 다음 밑줄 친 부분을 어법에 맞게 고친 후, 그 이유를 쓰시오.

e.g.	In 1962, he joined the Associated Press(AP), and after 10 years, he <u>leaves</u> the AP to work left as a freelancer for *Time* magazine. [고1 9월] 1962년으로부터 10년 후라는 명확한 과거의 때를 나타내는 표현이 있으므로 과거시제로 고침

1 About four billion years ago, molecules <u>have joined</u> together to form cells. [고1 3월]

2 She <u>has been practicing</u> very hard the past week but she did not seem to improve. [고1 3월]

3 Although humans have been drinking coffee for centuries, it is not clear just where coffee originated or who first <u>has discovered</u> it. [고1 11월]

4 From the beginning of human history, people <u>asked</u> questions about the world and their place within it. [고1 9월]

5 Cassatt <u>has lost</u> her sight at the age of seventy, and, sadly, was not able to paint during the later years of her life. [고1 9월]

6 People who lie get into trouble when someone <u>threatened</u> to uncover their lie. [고1 3월]

7 Have you ever <u>think</u> about how you can tell what somebody else is feeling? [고1 9월]

---

1 billion 10억   molecule 분자   3 originate 유래하다   6 threaten 위협하다, 협박하다

어법 REVIEW 2 *짧은 지문* 어법연습하기

Point

(A) 조건의 부사절
(B) and로 연결된 병렬구조

bill 청구서
negative 부정적인
relationship 관계

A 다음 글의 빈칸에 주어진 단어를 시제에 맞게 쓰시오.

1 If you (A) _____ (talk) to unhappy people and (B) _____ (ask) them what they think about most of the time, you will find that almost without fail, they think about their problems, their bills, their negative relationships, and all the difficulties in their lives. [고1 9월]

Point

(A) 과거보다 더 이전에 일어난 일
(B) 미래시제
(C) 일반적인 사실

actually 실제로

2 Amy told Grandmother that she had seen angels in pictures. But she also wanted to know if her grandmother (A) _____ (see, actually, ever) an angel. Her grandmother said she had, but they looked different than in pictures. "Then, I am going to find one!" said Amy. "That's good! But I will (B) _____ (go) with you, because you (C) _____ (be) too little," said Grandmother. [고1 6월]

B 다음 밑줄 친 부분 중, 어법상 틀린 것을 고르시오.

Point

① 과거의 경험에 대한 글
② when절과 시제 일치
③ 과거완료

give a speech 연설하다
escape 탈출하다, 빠져나오다
throat 목구멍

3 Finally, it ① was Shaun's turn to give a speech. When he opened his mouth, nothing but air ② escaped his throat. Then he tried to speak again, not knowing what to say. He ③ had prepare to talk about time and he started with the word: 'Time....' But nothing followed. [고1 3월]

Point

① today와 함께 일반적의 사실
② 과거부터 현재까지의 상황
③ 과거의 습관

abundance 풍부함, 풍요
numerous 수많은
scarce 부족한
availability 유용성, 가능성
questionable 의심스러운

4 A quick look at history shows that humans have not always had the abundance of food that ① was enjoyed throughout most of the developed world today. In fact, there ② have been numerous times in history when food has been rather scarce. As a result, people ③ used to eat more when food was available since the availability of the next meal was questionable. [고1 9월]

C 다음 글의 네모 안에서 어법상 적절한 표현을 고르시오.

1 You (A) have / had written to our company complaining that your toaster, which you (B) buy / bought only three weeks earlier, doesn't work. You were asking for a new toaster or a refund. Since the toaster has a year's warranty, our company (C) is / was happy to replace your faulty toaster with a new toaster. [고1 3월]

Point
(A) 과거부터 현재까지의 일
(B) 명백한 과거를 나타내는 표현
(C) 현재의 상황

complain 불평하다
refund 환불
warranty 품질 보증
faulty 결함 있는

2 This is her first job as a coach, and she is going to start working from next week. She (A) would teach / will teach her class in the afternoons, and continue with our summer program. By promoting the health benefits of swimming, she (B) hopes / is hoping that more students (C) get / will get healthy through her instruction. [고1 6월]

Point
(A) 앞으로의 일
(B) 진행형 불가 동사
(C) hope의 목적절의 내용

promote 증진하다
benefit 혜택, 이점
instruction 교육

D 다음 밑줄 친 부분 중, 어법상 틀린 것을 고르시오.

3 For almost all things in life, there can be too much of a good thing. Even the best things in life ① aren't so great in excess. This concept has been discussed at least as far back as Aristotle. He ② argued that being virtuous ③ meant finding a balance. [고1 6월]

Point
① 일반적인 사실
② 과거의 일
③ 격언

excess 과잉, 과도
concept 개념
argue 주장하다
virtuous 미덕의, 도덕적인

4 If you ① will ask a physicist how long it would take a marble to fall from the top of a ten-story building, he ② will likely answer the question by assuming that the marble ③ falls in a vacuum. [고1 9월]

Point
① 조건의 부사절
② 조건의 부사절과 주절
③ 일반적인 사실

physicist 물리학자
marble 구슬
assume 추정하다, 가정하다
vacuum 진공

어법 REVIEW 3 *서술형내신* 어법연습하기

1 다음 글을 읽고, 물음에 답하시오.

We like to make a show of how much our decisions are based on rational considerations, but (a) <u>the truth is that we are largely governed by our emotions</u>, which continually influence our perceptions. What this means 3 is that the people around you, constantly under the pull of their emotions, change their ideas by the day or by the hour, depending on their mood. You must never assume that what people say or do in a particular moment 6 is a statement of their permanent desires. (b) <u>Yesterday they have been in love with your idea; today they seem cold.</u> This will confuse you and (c) <u>만약 여러분이 조심하지 않는다면, 여러분은 소중한 정신적 공간을 허비할 것이다</u> 9 trying to figure out their real feelings, their mood of the moment, and their fleeting motivations. It is best to cultivate both distance and a degree of detachment from their shifting emotions so that you are not caught up in 12 the process. [고1 11월]

VOCA

1 rational 합리적인, 이성적인
2 consideration 사려, 고려
3 perception 인지
6 assume 추정하다, 가정하다
7 statement 진술
  permanent 영구적인
10 figure out 알아내다
11 fleeting 순식간의, 잠깐의
   motivation 자극, 동기부여
   cultivate 경작하다, 일구다
12 detachment 무심함, 거리 둠
   shifting 이동하는, 바뀌는

**학교시험 서술형
단골 문제 감 잡기**

| 어법+해석 |
01 밑줄 친 (a)를 우리말로 바르게 해석하시오.

| 어법 파악 |
02 밑줄 친 (b)에서 어법상 **틀린** 부분을 바르게 고쳐 문장을 다시 쓰고, 그 이유를 서술하시오.

| 어법+영작 |
03 밑줄 친 (c)와 같은 뜻이 되도록 주어진 단어들을 사용하여 문장을 완성하시오. (필요하면 추가 단어 사용)
(careful / waste / valuable / mental space)

2 다음 글을 읽고, 물음에 답하시오.

Dear Guests,

Thank you for staying with us. Since our hotel ⓐ <u>is opened</u> in 1976, we ⓑ <u>have been committed</u> to protecting our planet by reducing our energy consumption and waste. In an effort to save the planet, we ⓒ <u>have adopted</u> a new policy and we need your help. (a) <u>If you will hang the Eco-card at the door, we will not change your sheets, pillow cases, and pajamas.</u> In addition, we ⓓ <u>will leave</u> the cups untouched unless they ⓔ <u>need to be cleaned</u>. In return for your cooperation, we will make a contribution on your behalf to the National Forest Restoration Project. We appreciate your cooperation on (b) <u>our eco-friendly policy</u>.

Sincerely,

Steven Smith

[고1 11월] 12

✓ VOCA

1 guest 손님
3 commit 약속하다, 헌신하다
  protect 보호하다
  reduce 줄이다
4 consumption 소비
  adopt 도입하다
8 contribution 기부금
9 on one's behalf ~을 대신하여
  restoration 복원, 복구

**학교시험 서술형
단골 문제 감 잡기**

| 어법 파악 |

01 밑줄 친 ⓐ~ⓔ 중, 어법상 틀린 것을 골라 바르게 고쳐 쓰시오.

_____

| 어법 파악 |

02 밑줄 친 (a)에서 어법상 틀린 부분을 찾아 바르게 고쳐 쓰고, 그 이유를 서술하시오.

_____

| 내용 파악 |

03 밑줄 친 (b) <u>our eco-friendly policy</u>에 해당하는 내용을 우리말로 요약하여 쓰시오.

_____

UNIT 03 조동사

문법 확인

조동사

조동사란 동사를 도와주는 동사를 말한다. 문법적 기능을 도와주거나 의미를 더하는 역할을 한다.

문법적 기능을 도와주는 be, have, do

문법적 기능을 하는 조동사 be, have, do는 모두 주어의 인칭, 수, 시제에 따라 ❶_____한다.

조동사	기능	형태	조동사	기능	형태
❷_____	진행시제를 만든다.	be+-ing	do	부정문을 만든다.	do+not+동사원형
	수동태를 만든다.	be+❸_____		의문문을 만든다.	Do+S+동사원형 ~?
have	❹_____를 만든다.	have+p.p.		동사의 ❺_____을 피한다.	본동사 대신 do
				부가의문문에 쓰인다.	문장 뒤에 덧붙임
				동사를 강조한다.	do+동사원형

본동사에 의미를 더하는 조동사

* 주어의 인칭과 수에 관계없이 항상 형태가 ❻_____.
* 조동사 뒤에는 ❼_____이 온다.
* 조동사 두 개가 연속해서 올 수 없다.

조동사	의미	조동사	의미
can[be able to*] / could	능력, 허가	will [be going to*] / would	미래, 의지, 부탁 / 과거의 습관
❽_____ / might	허가, 추측, 기원	must [❾_____*]	의무
shall/❿_____ [ought to]	제안, 의무, 당위, 충고		

*be able to, ⓫_____, have to는 주어의 인칭과 수, 시제에 따라 변화한다.

개념 마무리 OX

(1) 조동사는 일반적으로 주어의 인칭과 수에 관계없이 항상 형태가 같다. (○, ×)

(2) 조동사는 두 개가 연속해서 올 수 없다. (○, ×)

(3) should와 be able to는 같은 의미이다. (○, ×)

실전어법 개념확인

Point ❶ 능력, 허가, 의무 등의 조동사

- 능력, 가능을 나타내는 _____ / could, be able to(be able to는 다른 조동사와 함께 쓸 수 있음)
- 의무, 당위, 충고, 조언, 허가

must	have to	_____	should	had better	would rather	may/might	can/could
의무		당위	충고		조언		허가
~해야 한다				~하는 게 좋겠다(낫겠다)		~해도 좋다	

- 가능성이나 추측

_____	will/would	should	can/could	may/_____
~임에 틀림없다	~일 것이다		~일 수 있다	~일지도 모른다

1 You ⬚can / must⬚ buy conditions for happiness, but you ⬚can't / must not⬚ buy happiness.

2 Now we are seniors, and my wife ⬚can / must⬚ use a wheelchair for extended walks.

Point ❷ 과거 습관의 조동사

- would는 _____을, 「_____+동사원형」은 과거의 습관이나 상태를 나타내어 '~하곤 했다'라는 뜻이다.
  cf. be[get] used to+_____: ~하는 데 익숙하다 / be used to+동사원형: ~하기 위해 사용되다

3 When we were young and didn't have the money to go anywhere else, we ⬚would / could⬚ walk there almost every day.

Point ❸ 조동사+have p.p.

- 현재 사실에 대한 가능성이나 추측을 나타내는 조동사가 「조동사+have p.p.」 형태로 쓰일 때 과거 사실에 대한 추측, 후회, 유감을 나타낸다.

must have p.p.	~했음에 틀림없다(강한 추측)	_____	~했어야 한다(유감, 후회)
cannot have p.p.	~했을 리가 없다(부정 추측)	shouldn't have p.p.	~하지 말았어야 한다 (부정 유감, 후회)
may[might] have p.p.	_____ (약한 추측)	could have p.p.	~했을 수도 있다(가능성)

4 In Rome, he met Palestrina, a famous Italian composer, and may even ⬚be / have been⬚ his pupil.

Point ❹ 주장, 요구, 명령, 제안의 should

- 주장, 요구, 명령, 제안을 나타내는 동사의 목적어로 쓰인 that절이 '~해야 한다'라는 당위성을 나타낼 때, that절의 동사 앞에 조동사 _____를 넣어 「should+동사원형」 형태로 쓴다. should를 _____하고 동사원형만 쓸 수도 있다.

advise(조언하다)	command(명령하다)	demand(요구하다)	_____ (주장하다)
propose(제안하다)	recommend(추천하다)	require(필요로 하다)	_____ (제안하다)
order(명령하다)	request(요구하다)	*형용사 essential, necessary (필수적인)	

5 He requested that they ⬚join / joined⬚ him at a specific location in three days.

어법 REVIEW 1 문장 어법연습하기

A 다음 중 어법상 적절한 표현을 고른 후, 그 이유를 쓰시오.

> **e.g.** Hike the Valley is a hiking program. Participants should be / have been ten years of age or older. [고1 9월]
>
> > 현재시제 문장에서 '~이어야 한다'는 뜻의 당위를 나타내고 있으므로 「should+동사원형」

1 You have to cultivate happiness; you can / cannot buy it at a store. [고1 6월]

2 Welcome to our cooking contest! Participants should prepare / preparing their dishes beforehand and bring them to the event. [고1 3월]

3 Not knowing that the product exists, customers would probably not buy it even if the product should / may have worked for them. [고1 6월]

4 To rise, a fish must reduce / to reduce its overall density, and most fish do this with a swim bladder. [고1 6월]

5 Although an investment may be falling in price, it doesn't mean you are able to / have to abandon it in a rush. [고1 6월]

6 Clothing has to / doesn't have to be expensive to provide comfort during exercise. [고1 3월]

7 Starting at $200, these toilets are affordable and can help / helping the average consumer save hundreds of gallons of water per year. [고1 11월]

---

1 cultivate 경작하다, 일구다   2 beforehand 사전에, 미리   4 reduce 줄이다, 감소시키다   overall 전체의   density 밀도   swim bladder 부레
5 investment 투자   abandon 버리다   in a rush 급히   6 provide 제공하다   7 affordable (가격이) 알맞은

B 다음 밑줄 친 부분을 어법에 맞게 고친 후, 그 이유를 쓰시오.

e.g.	When I said I wanted to learn more, they suggested that we <u>went</u> to the National Museum of Greenland together. [교과서]

(should) go

제안의 동사 suggest 다음의 that절이 당위성을 나타낼 때 동사는 「(should) 동사원형」

1 To experience the joy of tennis, you <u>have to learning</u>, to train yourself to play. [고1 6월]

2 You made me wait for an hours. At least you <u>should say</u> sorry then. [고1 6월 응용]

3 The worst effect of dams has been observed on salmon that have to travel upstream to lay their eggs. If blocked by a dam, the salmon life cycle <u>can</u> be completed. [고1 3월]

4 Cassatt lost her sight at the age of seventy, and, sadly, <u>could not able to</u> paint during the later years of her life. [고1 9월]

5 We <u>cannot have predicted</u> the outcomes of sporting contests, which vary from week to week. The sport marketer therefore must avoid marketing strategies based solely on winning. [고1 11월 응용]

6 They insist that parents <u>stimulating</u> their children in the traditional ways through reading, sports, and play — instead of computers. [고1 6월]

7 Almost every person — except those who are seriously afraid of bees — <u>cannot keep</u> them profitably and enjoyably. [고1 6월]

---

3 salmon 연어   upstream 상류로   5 predict 예언하다   outcome 결과   vary 다르다   solely 오로지, 순전히   6 stimulate 자극하다, 격려하다
7 keep (동물을) 기르다   except ~을 제외하고   profitably 유익하게

어법 REVIEW 2 짧은 지문 어법연습하기

Point

① and에 의해 연결된 병렬구조
② 가능 vs. 의무
③ or에 의해 연결된 병렬구조

hesitation 주저함, 망설임
concern 걱정, 염려
instrument 악기

A 다음 글의 네모 안에서 어법상 적절한 표현을 고르시오.

1 Throw away your own hesitation and (A) forget / forgot all your concerns about whether you are musically talented or whether you (B) can / must sing or (C) play / playing an instrument.

[고1 6월]

Point

① the 비교급 ~, the 비교급 …
② 조동사의 쓰임

store 저장하다
recharge 재충전하다

2 Imagine that your body is a battery and the more energy this battery can store, (A) more / the more energy you (B) will can / will be able to have within a day. Every night when you sleep, this battery is recharged with as much energy as you spent during the previous day. [고1 11월]

Point

① 가능
② 강한 추측 vs. 의무
③ 추측

cover up ~을 덮다, 가리다
play down 작게 취급하다
aspect 측면
promote 홍보하다
differentiate 차별화하다
remove 제거하다

B 다음 밑줄 친 부분 중, 어법상 어색한 것을 고르시오.

3 Ads will cover up or play down negative aspects of the company or service they advertise. In this way, they ① can promote a favorable comparison with similar products or differentiate a product from its competitors. Likewise, the map ② must have removed details that ③ would be confusing. [고1 3월]

Point

① 추측
② 앞의 내용을 대신하는 동사
③ will의 의미와 쓰임

allowance 용돈
hopefully 바라건대
trial and error 시행착오

4 Your parents ① may be afraid that you will not spend your allowance wisely. You may make some foolish spending choices, but if you ② do, the decision to do so is your own and hopefully you ③ won't learn from your mistakes. Much of learning occurs through trial and error. [고1 3월]

C 다음 글의 네모 안에서 어법상 적절한 표현을 고르시오.

1 Currently, we (A) can / cannot send humans to other planets. One obstacle is that such a trip would take years. A spacecraft (B) must / would need to carry enough air, water, and other supplies needed for survival on the long journey. [고1 6월]

Point

(A) 가능 vs. 불가능
(B) 의무 vs. 추측

currently 현재, 지금
obstacle 장애물
spacecraft 우주선

2 It's easy to say one (A) will / should keep cool, but how do you do it? The point to remember is that sometimes in arguments the other person is trying to get you to be angry. They (B) may be / may have been saying things that are intentionally designed to annoy you. [고1 3월]

Point

(A) 미래 vs. 당위
(B) 과거 사실에 대한 추측 vs. 현재 사실에 대한 추측

intentionally 의도적으로
annoy 짜증나게 하다

D 다음 밑줄 친 부분 중, 어법상 어색한 것을 고르시오.

3 Since you ① can't use gestures, make faces, or present an object to readers in writing, you ② must have relied on words to do both the telling ③ and the showing. Show more than you tell. Use words to make the reader see. [고1 3월]

Point

① 가능 vs. 불가능
② 의무 vs. 과거 사실에 대한 강한 추측
③ both A and B

gesture 제스처, 몸짓
rely on 의존하다

4 Hydroelectric power is a clean and renewable power source. However, ① there are a few things about dams that are important to know. To build a hydroelectric dam, a large area must be flooded behind the dam. Whole communities sometimes ② have to be moved to another place. Entire forests ③ can't be drowned. [고1 3월]

Point

① there is / are의 수
② 조동사+능동태/수동태
③ 가능 vs. 불가능

hydroelectric 수력 전기의
flood 침수시키다
community 지역 사회
entire 전체의
drown 잠기게 하다

1 다음 글을 읽고, 물음에 답하시오.

On the walk back to their farm, Mary wondered why white people had all kinds of nice things and why, above all, they could read while black people _____(a)_____ . She decided to learn to read. At home the little girl asked her father to let her go to school, but he told her calmly, "There isn't any school." One day, however, a black woman in city clothes changed that. Emma Wilson came to the McLeod cabin, explaining that she would open a new school in Mayesville for black children. (b) "학교는 목화를 따는 시기가 끝난 후에 시작될 것입니다," she said. Mary's parents nodded in agreement. Mrs. McLeod also nodded toward her daughter. Young Mary was very (c) e_____. "I'm going to read? Miss Wilson?" She smiled at Mary. [고1 3월 응용]

VOCA

1 wonder 궁금해하다
2 above all 무엇보다도
4 calmly 조용히
5 in city clothes 도시 사람들의 옷차림을 한
8 cotton-picking 목화 따기
  nod 고개를 끄덕이다
9 agreement 동의

**학교시험 서술형
단골 문제 감 잡기**

| 어법 파악 |
01 빈칸 (a)에 알맞은 조동사를 쓰시오.

_____

| 어법+영작 |
02 밑줄 친 (b)와 같은 뜻이 되도록 주어진 단어를 사용하여 영작하시오. (필요하면 변형, 추가 단어 사용)
(begin, cotton-picking season)

_____

| 내용 파악 |
03 문맥상 빈칸 (c)에 들어갈 감정 형용사를 주어진 철자로 시작하여 쓰시오.

2 다음 글을 읽고, 물음에 답하시오.

One of the main reasons that students (a) should / may think they know the material, even when they don't, is that they mistake familiarity for understanding. Here is how it works: You read the chapter once, perhaps ₃ highlighting as you go. Then later, you read the chapter again, perhaps focusing on the highlighted material. As you read it over, the material is _____(b)_____ because you remember it from before, and this familiarity ₆ might lead you to think, "Okay, I know that." The problem is that this feeling of familiarity is not necessarily equivalent to knowing the material and may be of no help when you (c) have to / are able to come ₉ up with an answer on the exam. In fact, (d) familiarity can often lead to errors on multiple-choice exams because you might pick a choice that looks familiar, only to find later that it was something you had read, but it ₁₂ wasn't really the best answer to the question. [고1 6월]

● **VOCA**

2 material 자료
  mistake A for B
  A를 B로 오인하다
  familiarity 친숙함
8 equivalent 동등한
9 come up with an
  answer 답을 생각해 내다
11 multiple-choice exam
  선다형 시험

학교시험 서술형
단골 문제 감 잡기

| 어법 파악 |

01 (a)와 (c)의 네모 안에서 각각 알맞은 것을 고르고, 그 이유를 서술하시오.

(a) _____

(c) _____

| 내용 파악 |

02 빈칸 (b)에 알맞은 단어를 본문에서 찾아 쓰시오.

_____

| 어법+해석 |

03 밑줄 친 (d)를 우리말로 바르게 해석하시오.

_____

04 가정법

문법 확인

가정법

❶_____이란 있는 사실을 그대로 직접 표현한 것이 아니라, 다른 상황을 ❷_____하거나 상상, 소망하는 문장을 말한다. 반대되는 개념은 ❸_____이다.

가정법 과거/ 가정법 과거완료

• 가정법 과거: 시제는 과거지만, 내용은 '현재나 미래'에 관한 것이다.
• 가정법 과거완료: 시제는 ❹_____지만, 내용은 '과거'에 관한 것이다.

	가정법 과거	가정법 과거완료
의미	❺_____ 사실에 반대되는 일, 실현 가능성이 희박한 일을 가정하거나 상상	과거 사실에 반대되는 일을 가정하거나 상상
형태	If+주어+동사의 과거형 ~, 주어+조동사의 ❻_____+동사원형 …	If+주어+❼_____ ~, 주어+조동사의 과거형+have p.p. …
해석	만일 ~하다면, …할 텐데	만일 ~했다면, …했을 텐데

조건문 vs. 가정법

• 실현 가능성이 어느 정도 있을 때는 단순 ❽_____을, 가능성이 희박하거나 사실과 반대되는 경우는 가정법 과거를 사용한다.

	조건문	가정법
의미	실현 가능한 조건과 결과	현재 사실에 반대되는 일, 실현 가능성이 희박한 일을 가정하거나 상상
형태	If+주어+동사의 ❾_____ ~, 주어+조동사의 미래형+동사원형 …	If+주어+동사의 ❿_____ ~, 주어+조동사의 과거형+동사원형 …
해석	~하면 …할 것이다	만일 ~하다면, …할 텐데

개념 마무리 OX

(1) if로 시작하는 가정법 과거는 과거 사실에 반대되는 일을 반대로 가정, 상상하는 가정법이다. (O, X)

(2) 가정법의 주절은 조동사의 과거형이 주로 온다. (O, X)

(3) 가정법을 직설법으로 바꿀 때 긍정문은 부정문, 부정문은 긍정문으로 전환한다. (O, X)

실전어법 개념확인

Point ❶ 가정법 과거

- 가정법 과거는 _____ 사실에 반대되는 일, 실현 가능성이 희박한 일을 가정하거나 상상할 때 사용한다.

  형태: If+주어+동사의 과거형/_____ ~, 주어+조동사의 과거형(_____/should/could/might)+동사원형 …

  → 직설법 현재: As+주어+do(es) not+동사원형, 주어+조동사의 현재형+not+동사원형 …

- _____ 가정법 과거는 '만약 ~이 없다면', '만약 ~이 아니라면'의 의미로 현재 있는 것이 없다고 가정할 때 사용한다.

  1 If we live / lived on a planet where nothing ever changed, there would be little to do.

Point ❷ 가정법 과거완료

- 가정법 과거완료는 _____ 사실에 반대되는 일, 실현 가능성이 희박한 일을 가정하거나 상상할 때 사용한다.

  형태: If+주어+_____ ~, 주어+조동사의 과거형(would/should/could/might)+_____ …

  → 직설법: As+주어+did not+동사원형, 주어+조동사의 과거형+not+동사원형 …)

  2 If the check have / had been enclosed, would they have responded so quickly?

Point ❸ I wish 가정법

- 「I wish+가정법 과거」는 '(지금) ~라면 좋을 텐데'의 의미로, 현재의 실현 _____한 소망이나 사실에 대한 유감을 표현한다.

  형태: I wish (that)+주어+동사의 _____

  → 직설법 I'm sorry (that)+주어+not+동사의 현재형

- 「I wish+가정법 과거완료」는 '(그때) ~했다면 (지금) 좋을 텐데'의 의미로, 이루지 못한 과거에 대한 아쉬움이나 유감을 표현한다.

  형태: I wish (that)+주어+had p.p.

  → 직설법 I'm sorry (that)+주어+not+동사의 과거형

  3 She lay there, sweating, listening to the empty thunder that brought no rain, and whispered, "I wish the drought will / would end."

Point ❹ as if 가정법

- 「as if(though)+가정법 과거」는 주절과 같은 시간대에 일어난 사실에 반대되는 상황을 가정한다.

  형태: as if(though)+주어+동사의 과거형

  → 직설법: In fact+주어+not+동사의 현재형

- 「as if(though)+가정법 과거완료」는 주절보다 _____ 시간대에 일어난 사실에 반대되는 상황을 가정한다.

  형태: as if(though)+주어+had p.p.

  → 직설법: In fact+주어+not+동사의 과거형

  4 Too many companies advertise their new products as if their competitors do / did not exist.

어법 REVIEW 1 문장 어법연습하기

정답과 해설 p. 11

A 가정법 문장이 되도록 주어진 단어를 어법에 맞게 고쳐 쓴 후, 어떤 형태의 가정법인지 쓰시오.

e.g.	If you ___copied___ (copy) the picture many times, you would find that each time your drawing would get a little better, a little more accurate. [고1 3월]
	가정법 과거

1 If you were trying to explain on the cell phone how to operate a complex machine, you would _____ (stop) walking. [고1 3월]

2 The lyricist wishes that his heart were a stereo and that he himself _____ (be) a radio. [교과서]

3 If you were telling someone how to get to your local shop, you _____ (may) call it 'near' if it was a five-minute walk away. [고1 6월]

4 Moreover, the experience would be ruined if people _____ (be) to behave in such a way. [고1 3월]

5 If the decision to get out of the building hadn't been made, the entire team _____ (will, be) killed. [고1 6월]

6 They write in a language different from the one they would use if they _____ (be) talking to a friend. [고1 6월]

7 When I got close to it and looked up, I felt as if I _____ (be) in Giant Land in *Gulliver's Travels*. [교과서]

---

e.g. accurate 정밀한   2 lyricist 작사가   4 ruin 망치다   5 entire 전체의

어법 REVIEW 2 *짧은 지문* 어법연습하기

정답과 해설 **p. 12**

A 다음 글의 네모 안에서 어법상 적절한 표현을 고르시오.

1 Actually, I was just about to replace the wheels. I'd do / have done it earlier if it hadn't taken so long to order new ones online. [교과서]

2 Rather, there is a complex chain of events that all contribute to the result; if any one of the events would not have occurred, the result will / would be similar. [고1 9월]

3 If we (A) live / lived on a planet where nothing ever changed, there would be little to do. There would be nothing to figure out and there would be no reason for science. And if we lived in an unpredictable world, where things changed in random or very complex ways, we (B) would not be / would not have been able to figure things out. [고1 6월]

4 If Ernest Hamwi took / had taken that attitude when he was selling zalabia, a very thin Persian waffle, at the 1904 World's Fair, he might have ended his days as a street vendor. [고1 3월]

어법 REVIEW 3 *서술형내신* 어법연습하기

1 다음 글을 읽고, 물음에 답하시오.

Andrew Carnegie, the great early-twentieth-century businessman, once heard his sister complain about her two sons. They were away at college and rarely responded to her letters. Carnegie told her that (a) if he wrote them he will get an immediate response. He sent off two warm letters to the boys, and told them that he was happy to send each of them a check for a hundred dollars (a large sum in those days). Then he mailed the letters, but didn't enclose the checks. Within days he received warm grateful ____ (b) ____ from both boys, who noted at the letters' end that he had unfortunately forgotten to include the check. (c) If the check had been enclosed, would they have responded so quickly? [고1 3월]

VOCA

2 complain 불평하다
3 rarely 거의 ~ 않다
  respond to ~에 응하다, 답하다
6 check 수표
  a large sum 큰 액수의 돈
7 enclose 동봉하다
9 unfortunately 불행히도
  include 포함하다

학교시험 서술형 단골 문제 감 잡기

| 어법 파악 |

O1 밑줄 친 (a)를 읽고 다음 두 질문에 답하시오.

(1) 가정법 과거로 쓸 때 잘못된 부분을 찾아 바르게 고쳐 쓰시오.

_____ → _____

(2) 가정법 과거 문장을 직설법으로 고쳐 쓸 때 빈칸에 알맞은 말을 쓰시오.

→As he _____ them, he won't get an immediate response.

| 내용 파악 |

O2 글의 내용과 일치하도록 빈칸 (b)에 들어갈 알맞은 한 단어를 쓰시오.

_____

| 어법+해석 |

O3 밑줄 친 (c)를 우리말로 바르게 해석하시오.

_____

2 다음 글을 읽고, 물음에 답하시오.

Garnet blew out the candles and lay down. It was too hot even for a sheet. She lay there, sweating, listening to the empty thunder that brought no rain, and whispered, (a) "I wish the drought will end." Late in the night, Garnet had a feeling that something she had been waiting for was about to happen. She lay quite still, listening. The thunder rumbled again, sounding much louder. And then slowly, one by one, (b) as if someone were dropping pennies on the roof, came the raindrops. Garnet held her breath hopefully. The sound paused. "Don't stop! Please!" she whispered. Then the rain burst strong and loud upon the world. Garnet leaped out of bed and ran to the window. She shouted with joy, "It's raining hard!" (c) 그녀는 그 뇌우가 선물처럼 느껴졌다. [고1 9월]

✓ VOCA

1 blow out 불어 끄다
  lie down 눕다
3 drought 가뭄
6 rumble 우르릉 소리를 내다
7 drop 떨어뜨리다
10 leap out of ~에서 벌떡 일어나다

학교시험 서술형
단골 문제 감 잡기

| 어법 파악 |
01 밑줄 친 (a)에서 어법상 틀린 부분을 찾아 바르게 고쳐 쓰시오.

_____ → _____

| 어법+해석 |
02 밑줄 친 (b)를 우리말로 바르게 해석하시오.

_____

| 어법+영작 |
03 밑줄 친 (c)와 같은 뜻이 되도록 주어진 단어들을 알맞은 순서로 배열하시오.
(was / felt / as / the thunderstorm / a present / she / though)

_____

UNIT 05 태

Point 1 능동태 vs. 수동태
Point 2 4형식과 5형식의 수동태
Point 3 진행시제와 완료시제의 수동태
Point 4 주의해야 할 수동태

문법 확인

능동태 vs. 수동태

- 능동태: 동작을 하는 **❶**_____에 초점을 맞춘다.
- 수동태: 동작을 당하거나 받는 대상(목적어)에 초점을 맞춘다.

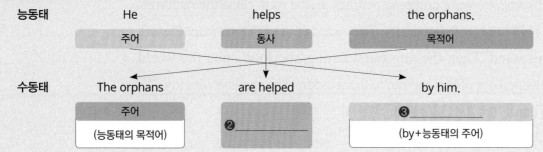

능동태	He	helps	the orphans.
	주어	동사	목적어

수동태	The orphans	are helped	by him.
	주어 (능동태의 목적어)	**❷**_____	**❸**_____ (by+능동태의 주어)

- 수동태 문장에서 행위자가 일반인이거나 명확하지 않은 경우, 또는 누구인지 밝히지 않아도 알 수 있는 경우, 대개 「by+행위자」를 **❹**_____한다.

수동태의 다양한 형태

시제	형태	문장	형태	기타	형태
현재	am/are/is + p.p.	긍정문	be동사 + p.p.	조동사의 수동태	**❻**_____
과거	**❺**_____	부정문	be동사 + not + p.p.	**❼**_____의 수동태	to be + p.p.
미래	will be + p.p.	의문문	be동사 + 주어 + p.p. ~?	구동사의 수동태	be동사 + 구동사 p.p.

개념 마무리 OX

(1) 모든 문장은 수동태로 쓸 수 있다. (○, ×)

(2) 수동태의 시제와 수는 be동사의 형태를 변형하여 나타낸다. (○, ×)

(3) 수동태는 동작을 당하거나 받는 대상에 초점을 둔다. (○, ×)

실전어법 개념확인

Point ❶ 능동태 vs. 수동태

- 동사의 태: '태'란 주어와 동사의 관계에서 주어가 능동적인 동작을 하는지, 아니면 수동적으로 동작의 대상이 되어 행위를 당하거나 받는지를 나타내는 동사의 형태를 말한다.
- 수동태: 주로 행동의 주체(행위자)보다는 _____에 초점을 맞출 때 수동태 문장으로 쓴다.
  「_____」는 생략되기도 한다.

  1 Snakes, for example, | honored / are honored | by some cultures and hated by others.

  2 Food and pets | prohibited / are prohibited | in the museum.

Point ❷ 4형식과 5형식의 수동태

- 4형식 문장(주어+동사+간접목적어+직접목적어)의 수동태는 두 가지 형태가 있다.
  → _____가 주어로 쓰인 경우, 「be동사+p.p.」 바로 뒤에 직접목적어가 온다.
  → 직접목적어가 주어로 쓰인 경우, 「be동사+p.p.」 뒤에 「_____+간접목적어」가 온다.
- 5형식 문장(주어+동사+목적어+목적격보어)의 수동태에서 _____는 「be동사+p.p.」 뒤에 온다.
  5형식 문장에서 지각동사와 사역동사의 목적격보어로 쓰인 동사원형은 수동태 문장에서 _____로 바뀐다.

  3 One winner of our dinosaur quiz will | give / be given | a real fossil as a prize.

  (= A real fossil will | give / be given | to one winner of our dinosaur quiz as a prize.)

  4 The triangles | made / were made | smaller or larger or turned upside down.

Point ❸ 진행시제와 완료시제의 수동태

- 진행시제의 수동태 〈현재진행 수동태〉 am/are/is + being + p.p.　　〈과거진행 수동태〉 _____
- 완료시제의 수동태 〈현재완료 수동태〉 _____　　〈과거완료 수동태〉 had+been+p.p.

  5 The entirety of our capacity for attention is not | being put / been put | to use.

  6 This concept | has discussed / has been discussed | at least as far back as Aristotle.

Point ❹ 주의해야 할 수동태

- 목적어가 없는 _____나 상태, 소유를 나타내는 타동사의 경우, 수동태를 쓸 수 없다.

목적어가 없는 자동사	look, seem, remain, appear, disappear, happen, occur, exist, result 등
상태, 소유를 나타내는 타동사	have, hold, lack, resemble, fit, cost, become, suit 등

- 수동태의 관용 표현: by 이외의 전치사나 to부정사와 함께 쓰인다.
  be satisfied with (~에 만족하다)　　be made up _____ (~으로 구성되다)　　　　be worried about (~에 대해 걱정하다)
  be accustomed to (~에 익숙하다) be supposed _____ (~하기로 되어 있다) be known to+동사원형 (~으로 알려지다)

  7 Newspaper headlines called the honest young man a "spelling bee hero," and his photo
  | appeared / was appeared | in *The New York Times*.

어법 REVIEW 1 문장 어법연습하기

A 다음 중 어법상 적절한 표현을 고른 후, 그 이유를 쓰시오.

| e.g. | These medicines call / are called "antibiotics," which means "against the life of bacteria." |

[고1 9월]

능동태 「call A B」 구조의 5형식 문장에서 '~으로 불리다'라는 의미가 되어 수동태(A be called B)

1 The one grand prize winner will choose / be chosen by online voting. [고1 3월]

2 The meeting is never missing / missed or rescheduled at a different time. [고1 9월 응용]

3 We believe that the quality of the decision is directly related to / by the time and effort that went into making it. [고1 3월]

4 All those under the age of 18 must be / are accompanied by an adult. [고1 9월]

5 Unfortunately, a car accident injury forced / was forced her to end her career after only eighteen months. [고1 3월]

6 She had been practicing / practiced very hard the past week but she did not seem to improve. [고1 3월]

7 It is, arguably, the reason why humans, normally a quite cooperative species, can become / be become so noncooperative on the road. [고1 3월]

---

e.g. antibiotic 항생 물질　1 online voting 온라인 투표　2 miss 거르다　reschedule 일정을 변경하다　3 effort 노력　4 accompany 동반하다
5 injury 부상　6 improve 나아지다　7 arguably 주장하건대, 거의 틀림없이　cooperative 협동적인

B 다음 밑줄 친 부분이 맞으면 ○표 하고, 틀리면 어법에 맞게 고친 후, 그 이유를 쓰시오.

e.g.	They are not (A) <u>interested in</u> trying to (B) <u>be appeared</u> or feel superior to others. [고1 11월]

○   appear

(A) be interested in은 '~에 흥미가 있다'라는 뜻으로, by 이외의 전치사를 쓰는 수동태
(B) appear는 '~처럼 보이다'라는 뜻의 자동사로, 수동태로 쓸 수 없는 동사

1 You (A) <u>are invited</u> to attend a special presentation that will (B) <u>hold</u> at our school auditorium on April 16th. [고1 3월]

2 This may (A) <u>explain</u> why Americans (B) <u>are seemed</u> particularly easy to meet and are good at cocktail-party conversation. [고1 3월]

3 The boy's parents <u>were concern about</u> his bad temper. [고1 9월]

4 A while later, after the wound <u>had been treated</u>, the family sat around the kitchen table and talked. [고1 3월]

5 Very old trees in particular can (A) <u>be offered</u> clues about what the climate was like long before measurements (B) <u>recorded</u>. [고1 6월]

6 Registration <u>should make</u> at least 2 days before the program begins. [고1 9월]

7 You never know what great things <u>will be happened</u> to you until you step outside the zone where you feel comfortable. [고1 3월]

---

1 auditorium 강당　2 particularly 특히　3 bad temper 못된 성질　4 wound 상처　treat 치료하다　5 in particular 특히　climate 기후
measurement 측량, 측정　6 registration 등록　7 zone 지대, 지역

어법 REVIEW 2 짧은 지문 어법연습하기

Point

(A) 목적어 유무 확인
(B) 능동·수동의 의미 파악

experiment 실험
subject 연구 대상, 실험 대상
observe 관찰하다
multiple-choice 선다형의

A 다음 글의 네모 안에서 어법상 적절한 표현을 고르시오.

1 In one experiment, subjects (A) observed / were observed a person solve 30 multiple-choice problems. In all cases, 15 of the problems (B) solved / were solved correctly. [고1 3월]

Point

(A), (B) 능동태 vs. 수동태
조동사의 수동태

refer to 언급하다
tribe 부족, 종족
concept 개념
measure 측정하다, 재다
count (수를) 세다

2 There are some cultures that can (A) refer / be referred to as "people who live outside of time." The Amondawa tribe, living in Brazil, does not have a concept of time that can (B) measure / be measured or counted. [고1 3월]

Point

① 감정을 나타내는 동사의 수동 표현
② 자동사 vs. 타동사
③ 수동태로 쓸 수 없는 동사

disappoint 실망하다
encourage 용기를 주다
remain (계속) ~이다,
(~ 한 상태로) 남아 있다

B 다음 밑줄 친 부분 중, 어법상 틀린 것을 고르시오.

3 When Angela was young, she was always ① disappointed about her performance despite her efforts. Whenever she felt down, her mom ② encouraged her by saying that working hard and never giving up is more important. With her mother's encouragement, she ③ was remained positive and tried to do her best. [고1 11월]

Point

①, ② 수동태 현재
③ 주어와 동사의 관계 파악

exhibit ~을 드러내다, 전시하다
reserve 보류하다, 유보하다
define 정의하다

4 It is easy to judge people based on their actions. We ① are often taught to put more value in actions than words, and for good reason. The actions of others often speak volumes louder than their words. However, when someone ② is exhibited some difficult behavior, you might want to reserve judgement for later. People are not always ③ defined by their behavior. [고1 9월]

C 다음 글의 네모 안에서 어법상 적절한 표현을 고르시오.

1 Underwater photography (A) born / was born . Near the surface, where the water is clear and there is enough light, it is quite possible for an amateur photographer to (B) take / be taken great shots with an inexpensive underwater camera. At greater depths — it is dark and cold there — photography is the principal way of exploring a mysterious deep-sea world, 95 percent of which has never (C) seen / been seen before. [고1 3월]

> **Point**
> (A) 능동태 과거 vs. 수동태 과거
> (B) 의미상의 주어와 to부정사의 관계
> (C) 현재완료 능동태 vs. 수동태
>
> surface 표면
> inexpensive 값싼, 저렴한
> principal 주요한, 주된

2 Using a clever trick inspired by stage magic, when participants (A) received / were received the photo, it had (B) been switch / been switched to the photo not chosen by the participant — the less attractive photo. [고1 9월]

> **Point**
> (A) 목적어 유무 확인
> (B) 과거완료 능동태 vs. 수동태
>
> inspire 영감을 주다
> participant 참가자
> switch 바꾸다, 교체하다

D 다음 밑줄 친 부분 중, 어법상 <u>틀린</u> 것을 고르시오.

3 Since our hotel ① <u>was opened</u> in 1976, we ② <u>have been committed</u> to protecting our planet by reducing our energy consumption and waste. In an effort to save the planet, we ③ <u>have been adopted</u> a new policy and we need your help. [고1 11월]

> **Point**
> ① 과거 수동태
> ② 현재완료
> ③ 목적어 유무 확인
>
> committed 열성적인, 전념하는
> consumption 소비
> adopt 도입하다, 채택하다
> policy 정책

4 Today car sharing movements ① <u>have been appeared</u> all over the world. In many cities, car sharing ② <u>has made</u> a strong impact on how city residents travel. Even in strong car-ownership cultures such as North America, car sharing ③ <u>has gained</u> popularity. Strong influence on traffic jams and pollution ④ <u>can be felt</u> from Toronto to New York, as each shared vehicle replaces around 10 personal cars. [고1 3월 응용]

> **Point**
> ① 수동태로 쓸 수 없는 동사
> ② 목적어 유무 확인
> ③ 현재완료 능동태 vs. 수동태
> ④ 주어와 동사의 관계
>
> impact 영향, 충격
> popularity 대중성, 인기
> replace 대체하다

1 다음 글을 읽고, 물음에 답하시오.

Some professionals argue that many teenagers can actually study productively under less-than-ideal conditions because (a) <u>그들은 '배경 소음'에 반복적으로 노출되어 왔다</u> since early childhood. These educators argue ₃ that children have become used to the sounds of the TV, video games, and loud music. They also argue that insisting students turn off the TV or radio when doing homework will not necessarily improve their academic ₆ performance. This position is certainly not generally (b) | shared / sharing |, however. Many teachers and learning experts (c) <u>convince</u> by their own experiences that students who study in a noisy environment often learn ₉ inefficiently. [고1 3월 응용]

✓ VOCA

1 professional 전문가
2 productively 생산적으로
less-than-ideal
전혀 이상적이지 않은
3 expose 노출하다
5 insist 주장하다
6 improve 향상시키다
academic performance
학업 성취
8 convince 확신(납득)시키다
10 inefficiently 비효율적으로

학교시험 서술형
단골 문제 감 잡기

| 어법+영작 |
01 밑줄 친 우리말 (a)를 다음 조건에 맞게 완성하시오.

〈조건〉 • 현재완료 시제로 쓸 것
• 수동태로 쓸 것
• 괄호 안의 단어를 활용하여 8단어로 완성할 것
("background noise" / repeatedly / expose / to)

| 어법 파악 |
02 (b)의 네모 안에서 어법상 적절한 것을 고르고, 그 이유를 서술하시오.

| 어법 파악 |
03 밑줄 친 (c)를 어법에 맞게 알맞은 형태로 고쳐 쓰시오.

---

2 다음 글을 읽고, 물음에 답하시오.

The natural world ⓐ <u>is provided</u> a rich source of symbols used in art and literature. Plants and animals are central to mythology, dance, song, poetry, rituals, festivals, and holidays around the world. (a) <u>Different</u> ₃ <u>cultures can exhibit opposite attitudes toward a given species.</u> Snakes, for example, ⓑ <u>are honored</u> by some cultures and ⓒ <u>hated</u> by others. (b) <u>Rats are considered pests in much of Europe and North America</u> ₆ <u>and greatly respected in some parts of India.</u> Of course, within cultures individual attitudes can vary dramatically. For instance, in Britain many people ⓓ <u>dislike</u> rodents, and yet there are several associations devoted ₉ to breeding them, including the National Mouse Club and the National Fancy Rat Club. [고1 3월]

✔ VOCA

1 provide 제공하다
2 mythology 신화
3 ritual 의식
6 consider ~로 여기다
  pest 해충, 유해 동물
7 respect 존중하다
8 individual 개인의
  vary 다르다
  dramatically 극적으로
9 rodent 설치류
  association 협회
  devote (노력, 시간 등을)
  바치다, 전념하다
10 breed 기르다

학교시험 서술형
단골 문제 감 잡기

| 어법 파악 |

01 밑줄 친 (a)를 수동태 문장으로 바꿔 쓰시오.

_____

| 어법 파악 |

02 ⓐ~ⓓ 중, 어법상 <u>틀린</u> 것을 찾아 바르게 고쳐 쓰시오.

_____ → _____

| 어법+해석 |

03 밑줄 친 (b)를 우리말로 바르게 해석하시오.

_____

UNIT 06 to부정사와 동명사

문법 확인

준동사

- 준동사는 동사가 필요에 따라 변형되어 ❶_____, 형용사, 부사의 역할을 하는 것을 말한다.
- 준동사에는 ❷_____(to+V), 동명사(V-ing), ❸_____(V-ing 또는 p.p.)가 있다.

to부정사	They all agreed to go to the library. 명사 역할을 하는 to부정사(agreed의 목적어)
동명사	She enjoys making miniature buildings. 명사 역할을 하는 동명사(enjoys의 목적어)
분사	Do you know the boy riding a bike? 형용사 역할을 하는 분사(명사를 뒤에서 수식)

to부정사

- ❹_____ 앞에 to를 붙여 만들며, 문장에서 명사, 형용사, ❺_____의 역할을 한다.

She decided to go there this weekend.
　　　　　명사 역할을 하는 to부정사(decided의 목적어)
They didn't have enough water to drink.
　　　　　　　　　　　형용사 역할을 하는 to부정사(water를 수식)
They did their best to win the final game.
　　　　　　　부사 역할을 하는 to부정사(목적을 나타냄)

동명사

- 동사 뒤에 -ing를 붙여 만들며, 문장에서 ❻_____ 역할을 한다.

Playing chess with my grandfather is fun.
주어 역할을 하는 동명사

He avoids meeting his friends these days.
　　　avoids의 목적어 역할을 하는 동명사

Many illness are caused by smoking.
　　　　　　　전치사 by의 목적어 역할을 하는 동명사

개념 마무리 OX

(1) 준동사는 문장에서 주어 역할을 할 수 있다. (O, ×)

(2) to부정사는 동사의 목적어로 사용되고, 목적격보어로는 사용되지 않는다. (O, ×)

(3) 동명사는 문장 전체를 수식하는 부사 역할을 할 수 있다. (O, ×)

실전어법 개념확인

Point ❶ 동사와 준동사

- _____는 to부정사, 동명사, 분사의 형태를 가지며, 문장에서 명사, 형용사, 부사의 역할을 하므로 서술어인 _____ 자리에 올 수 없다.

   1 Volunteering | helps / helping | to reduce loneliness in two ways.

Point ❷ 동사의 목적어: to부정사/동명사

- 「_____+목적어」 구조에서 목적어로 to부정사 또는 동명사만을 취하는 동사가 있다.

to부정사만을 목적어로 취하는 동사	agree, afford, ask, choose, decide, expect, hope, need, offer, pretend, promise, want, wish 등
동명사만을 목적어로 취하는 동사	avoid, admit, deny, discuss, dislike, enjoy, finish, imagine, keep, mind, postpone, quit, stop, suggest, give up 등

   2 If you want | to have / having | a lot of energy tomorrow, you need to spend a lot of energy today.

   3 So we keep | to search / searching | for answers on the Internet.

Point ❸ to부정사/동명사 형태의 의미 구분

- 동사 뒤에 to부정사 또는 동명사가 올 때 의미가 달라지는 경우가 있다.

to부정사: 미래의 의미		동명사: 과거의 의미	
forget+to부정사		forget+동명사	~한 것을 잊다
remember+to부정사	~(해야) 할 것을 기억하다	remember+동명사	
regret+to부정사	~하게 되어 유감이다	regret+동명사	~한 것을 후회하다
try+to부정사	~하려고 노력하다	try+동명사	시험 삼아 ~해 보다
stop+to부정사		stop+동명사	

   4 You reminded me that there was one of your questions to which I forgot | to give / giving | an answer.

Point ❹ 목적격보어로 쓰이는 to부정사와 원형부정사

- _____ 형식 문장에서 목적격보어로 to부정사만을 취하는 동사가 있다. – advise, allow, force, tell 등
- _____와 사역동사는 목적어와 목적격보어의 관계가 _____일 때 to부정사가 아닌 _____ (동사원형)가 온다.

   cf. 준사역동사 help는 목적격보어로 _____와 _____가 둘 다 올 수 있다.

   5 The teacher told the students | to be / be | ready for the surprise test now!

   6 A teenager riding his bike saw me | kick / to kick | a tire in frustration.

   7 This approach can help you | escape / to escape / escaping | uncomfortable social situations.

어법 REVIEW 1 문장 어법연습하기

A 다음 중 어법상 적절한 표현을 고른 후, 그 이유를 쓰시오.

e.g.	When you put your dreams into words you begin put / putting them into action. [고1 3월]

begin은 목적어로 to부정사나 동명사

1 And do you really want to make / making eye contact with those drivers? [고1 3월]

2 As we try to find answers to the questions of cultural diversity, we realize / realizing that cultures are not about being right or wrong. [고1 9월]

3 Later, he regrets this, in case God was enjoying to listen / listening to the sound of the frog. [고1 3월]

4 We have lots of muscles in our faces which enable us to move / moving our face into lots of different positions. [고1 9월]

5 I have decided to use / using kind words more just like you. [고1 3월]

6 If you'd rather save your money, try find / finding pleasure in creating things rather than buying things. [고1 9월]

7 However, you suddenly see a group of six people enter / to enter one of them. [고1 6월]

---

2 cultural diversity 문화적 다양성   4 muscle 근육   enable 가능하게 하다

B 다음 밑줄 친 부분을 어법에 맞게 고친 후, 그 이유를 쓰시오.

> **e.g.** | Do not expect the person <u>going</u> right back to acting normally immediately. [고1 3월]
> to go
> expect는 목적격보어로 to부정사

1 This will look more stable and <u>to allow</u> customers to comfortably browse the products from top to bottom. [고1 11월]

2 Volunteers report a sense of satisfaction at <u>enrich</u> their social network in the service of others. [고1 3월]

3 The organization agreed <u>transporting</u> the T-shirts on their next trip to Africa. [고1 3월]

4 Let them know you respect their thinking, and let them <u>voicing</u> their opinions. [고1 3월]

5 Experts suggest that young people stop wasting their money on unnecessary things and start <u>save</u> it. [고1 3월]

6 The farmer asked his neighbor <u>keeping</u> his dogs in check, but his words fell on deaf ears.
[고1 11월]

7 It is this fact of plants' immobility that causes them <u>make</u> chemicals. [고1 11월]

---

1 stable 안정적인   browse 훑어보다   2 volunteer 자원봉사자   enrich 풍부하게 하다   3 transport 수송하다   4 respect 존중하다
5 unnecessary 불필요한   6 keep ~ in check 억제하다, 제지하다   7 immobility 부동성, 움직이지 않음   chemical 화학물질

어법 REVIEW 2 짧은 지문 어법연습하기

Point

(A) 동사의 목적어
(B) 동사와 준동사

risk 위험

A 다음 글의 네모 안에서 어법상 적절한 표현을 고르시오.

1 Life is filled with a lot of risks and challenges and if you want (A) to get / getting away from all these, you will be left behind in the race of life. A person who can never take a risk can't learn anything. For example, if you never take the risk to drive a car, you can never learn (B) drive / to drive . [고1 3월]

Point

(A) 동사의 목적어
(B) 동사의 목적격보어: to부정사/
원형부정사

computerized 컴퓨터화된
assign 맡기다, 배정하다
participant 참가자
peer 또래

2 Subjects played a computerized driving game in which the player must avoid (A) to crash / crashing into a wall that appears, without warning, on the roadway. Steinberg and Gardner randomly assigned some participants (B) play / to play alone or with two same-age peers looking on. [고1 9월]

B 다음 밑줄 친 부분 중, 어법상 틀린 것을 고르시오.

Point

①, ②, ④ 동사의 목적어
③ to부정사/동명사 형태의 의미 구분

right 권리
hang out with ~와 시간을 보내다
bring down 실망시키다
miserable 비참한

3 You are free to choose what you want ① to make of your life. It's called free will and it's your basic right. What's more, you can turn it on instantly! At any moment, you can choose to start ② showing more respect for yourself or stop ③ hanging out with friends who bring you down. After all, you choose ④ being happy or miserable. [고1 3월]

Point

①, ② 동사의 목적어
③ to부정사/동명사 형태의 의미 구분

blessing 축복
absentmindedly 건성으로

4 Before he died, he wanted ① to give a last blessing to his final resting place, so he decided ② to create humans. But he was in such a hurry, knowing he was dying, that he forgot ③ giving them knees; and he absentmindedly gave them big tails like kangaroos, which meant they couldn't sit down. [고1 3월]

C 다음 글의 네모 안에서 어법상 적절한 표현을 고르시오.

1 Wouldn't it be nice if you could take your customers by the hand and guide each one through your store while pointing out all the great products you would like them (A) consider / to consider buying? Most people, however, would not particularly enjoy (B) to have / having a stranger grab their hand and drag them through a store. [고1 11월]

Point
(A) 동사의 목적격보어: to부정사/원형부정사
(B) 동사의 목적어

point out 가리키다
particularly 특별히
grab 쥐다

2 To try (A) solve / to solve this mystery, wildlife biologist Tim Caro spent more than a decade studying zebras in Tanzania. In 2013, he set up fly traps covered in zebra skin and, for comparison, others covered in antelope skin. He saw that flies seemed to avoid (B) to land / landing on the stripes. [고1 6월 응용]

Point
(A) to부정사/동명사 형태의 의미 구분
(B) 동사의 목적어

wildlife 야생 동물
biologist 생물학자
trap 덫
antelope 영양

D 다음 글의 밑줄 친 부분 중, 어법상 틀린 것을 고르시오.

3 Anna, a 9-year-old girl, ① finishing attending elementary school till 4th grade at a small village. For the 5th grade, she transferred to a school in a city. It was the first day of her school and she went to her new school by bus. All students started ② going to their classes. Upon seeing Anna's simple clothing and knowing she was from a small village, some students in the classroom started ③ making fun of her. [고1 11월 응용]

Point
① 동사와 준동사
②, ③ 동사의 목적어: to부정사/동명사

attend 다니다
transfer 전학하다
make fun of 놀리다

4 For early societies, the answers to the most basic questions were found in religion. Some people, however, found the traditional religious explanations inadequate, and they began ① to search for answers based on reason. This shift marked the birth of philosophy, and the first of the great thinkers that we know of was Thales of Miletus. He used reason ② to inquire into the nature of the universe, and ③ encouraged others ④ do likewise. [고1 9월]

Point
① 동사의 목적어: to부정사/동명사
② to부정사의 역할
③ 동사와 준동사
④ 동사의 목적격보어: to부정사/원형부정사

inadequate 부적절한
shift 변화
inquire into ~을 조사하다

어법 REVIEW 3 *서술형내신* 어법연습하기

1 다음 글을 읽고, 물음에 답하시오.

(a) <u>Every event that causes you to smile makes you feel happy</u> and produces feel-good chemicals in your brain. (b) <u>스트레스를 받거나 불행하다고 느낄 때조차 당신의 얼굴이 강제로 미소를 짓도록 해보라.</u> The facial muscular 3 pattern produced by the smile is linked to all the "happy networks" in your brain and will in turn naturally calm you down and change your brain chemistry by releasing the same feel-good chemicals. Researchers 6 studied the effects of a genuine and forced smile on individuals during a stressful event. The researchers had participants perform stressful tasks while not smiling, smiling, or holding chopsticks crossways in 9 their mouths (to force the face to form a smile). The results of the study showed that smiling, forced or genuine, during stressful events reduced the intensity of the stress response in the body and lowered heart rate 12 levels after (c) | recovered / recovering | from the stress. [고1 6월]

✔ VOCA

2 chemical 화학물질
3 muscular 근육의
6 chemistry 화학, 화학 반응
  release 내보내다, 방출하다
7 genuine 진짜의
12 intensity 강도
  stress response 스트레스 반응
  heart rate 심장 박동률

▶ 학교시험 서술형
단골 문제 감 잡기

| 어법+해석 |
01 밑줄 친 (a)를 우리말로 바르게 해석하시오.

_____

| 어법+영작 |
02 밑줄 친 (b)와 같은 뜻이 되도록 주어진 단어들을 알맞은 순서로 배열하시오.
(even when / force / or / your face / you are / to smile / feel unhappy / stressed)

_____

| 어법 파악 |
03 (c)의 네모 안에서 어법상 맞는 것을 고르고, 그 이유를 서술하시오.

_____

2 다음 글을 읽고, 물음에 답하시오.

Something comes over most people when they start ___(a)___ .
They write in a language different from the one they would use if they
were talking to a friend. (b) <u>If, however, you want people to read and</u> ₃
<u>understand what you write</u>, write it in spoken language. Written language
is more complex, which makes it more work to read. It's also more
formal and distant, which makes the readers lose attention. You don't ₆
need complex sentences to express ideas. Even when specialists in some
complicated field express their ideas, they don't use sentences any more
complex than they do when talking about what to have for lunch. (c) 당신 ₉
이 단지 구어체로 글을 쓸 수만 있다면, you have a good start as a writer. [고1 6월]

✔ VOCA

1 come over (어떤 기분이) 갑
   자기 들다
4 spoken language 구어
5 complex 복잡한
6 formal 격식 있는
   distant 거리를 두는
8 complicated 복잡한
   field 분야
10 manage to 어떻게든 ~ 하다

--- **학교시험 서술형**
단골 문제 감 잡기

| 어법 파악 |
01 빈칸 (a)에 '(글을) 쓰다'의 뜻을 가진 동사를 알맞은 형태로 쓰시오.

_____

| 어법+해석 |
02 밑줄 친 (b)를 우리말로 바르게 해석하시오.

_____

| 어법+영작 |
03 밑줄 친 (c)와 같은 뜻이 되도록 주어진 단어들을 알맞은 순서로 배열하시오.
(if / spoken language / simply manage / to write / in / you)

_____

07 분사와 분사구문

문법 확인

분사

• 분사에는 현재분사(-ing)와 과거분사(p.p.)가 있다. ❶_____는 능동/진행의 의미를 나타내며, ❷_____는 수동/완료의 의미를 나타낸다.

현재분사(능동/진행)	an interesting book	과거분사(수동/완료)	a confused student
	a barking dog		boiled water
	disappointing news		fallen leaves

명사 수식과 보어 역할

• 분사는 ❸_____의 앞 또는 뒤에서 명사를 수식할 수 있고, 문장에서 ❹_____나 ❺_____ 역할을 할 수 있다.

명사 수식	Images are simply mental pictures showing ideas and experiences. 뒤에서 명사 수식
주격보어	This sight of stars can also be confusing. 주어　　　　동사　주격보어
목적격보어	He found his car cleaned by his son. 동사　목적어　목적격보어

분사구문

• 분사구문은 부사절에서 접속사, 주어를 생략하고 동사를 분사로 바꿔 부사구로 만든 구문이다.

〈분사구문 만드는 법〉

When he played soccer with his friend, he hurt his knee.
　①　　②　　③

→ Playing soccer with his friend, he hurt his knee.

① 접속사: 생략할 수 있다. (정확한 의미 전달을 위해 남겨 두기도 한다.)
② 주어: 주절의 주어와 같을 때 생략한다. (같지 않으면 그대로 둔다.)
③ 동사: 의미상 주절의 주어와의 관계가 ❻_____일 때는 현재분사(-ing), ❼_____일 때는 과거분사(p.p.)로 바꾼다.

개념 마무리 OX

(1) 분사는 명사나 명사구를 수식할 수 있다. (O, ×)

(2) 분사구문은 명사구를 수식한다. (O, ×)

(3) 분사구문에서 주어와 동사의 관계가 수동이면 현재분사를 사용한다. (O, ×)

실전어법 개념확인

Point ❶ 명사를 수식하는 현재분사와 과거분사

- 현재분사는 _____이나 진행의 의미를 나타내고, 과거분사는 수동이나 _____의 의미를 나타낸다.
- 분사가 단독으로 쓰일 때는 명사의 앞 또는 뒤에서 수식하고, 분사가 구를 이루고 있을 때는 명사의 _____에서 수식한다.

  1 Social lies such as making deceptive but 「flattering / flattered」 comments may benefit mutual relations.

  2 If the person is truly important to you, it is worthwhile to give him or her the time and space 「needing / needed」 to heal.

Point ❷ 보어로 사용되는 현재분사와 과거분사

- 분사는 문장에서 보어 역할을 할 수 있다. 이때도 현재분사는 능동이나 진행의 의미를, 과거분사는 수동이나 완료의 의미를 나타낸다.
- 문장이 _____ 형식일 때 분사는 주어를 설명하는 주격보어 역할을 한다.
- 문장이 _____ 형식일 때 분사는 목적어를 설명하는 _____ 역할을 한다.

  3 "I am 「tiring / tired」! Will you take me home, Grandma?" she asked.

  4 He pointed at a girl 「walking / walked」 up the street.

Point ❸ 분사구문(현재분사)

- 현재분사를 사용하는 분사구문은 의미상 주절의 주어와 분사의 관계가 _____이다.
- 일반적으로 분사구문에서 접속사는 생략하지만, 뜻을 분명히 하기 위해 남기기도 한다. 생략된 경우, 생략된 접속사를 문맥에 맞게 찾아내어 해석한다.

  5 「Feeling / Felt」 that the worst is over, I find my whole body loosening up and at ease.

  6 Even after 「receiving / received」 his degree, Turner was unable to get a teaching or research position at any major universities.

Point ❹ 분사구문(과거분사)

- 과거분사를 사용하는 분사구문은 의미상 주절의 주어와 분사의 관계가 _____이다. 이때 과거분사는 being p.p. 또는 having been p.p.에서 being / having been이 생략된 형태이다.

  7 Still 「amazing / amazed」 by his success, he was now in the finals.

A 다음 중 어법상 적절한 표현을 고른 후, 그 이유를 쓰시오.

e.g.	Vision is like shooting at a moving / moved target. [고1 9월]
	'움직이고 있는' 목표물을 향해 쏘는 것이므로 능동의 현재분사

1 Some consumers buy skin creams and baby products for their soothing / soothed effect on the skin. [고1 3월]

2 During a thunderstorm, clouds may become charging / charged as they rub against each other. [고1 9월]

3 One student chose to avoid the obstacles, taking / taken the easier path to the end. [고1 9월]

4 One such emergency involved a leak in the pipe supplying / supplied water to the camp.
[고1 3월]

5 Instead of making guesses, scientists follow a system designing / designed to prove if their ideas are true or false. [고1 9월]

6 The games will be attended by many college coaches scouting / scouted prospective student athletes. [고1 11월]

7 You've written to our company complaining / complained that your toaster, which you bought only three weeks earlier, doesn't work. [고1 3월]

---

1 consumer 소비자　soothe 진정시키다　effect 효과　2 charge 충전하다　rub 문지르다　3 obstacle 장애물　4 emergency 비상사태
leak 누수　5 prove 증명하다　6 scout 스카우트하다　prospective 유망한　7 complain 항의하다

B 다음 밑줄 친 부분을 어법에 맞게 고친 후, 그 이유를 쓰시오.

e.g.	Fluorescent lighting can also be <u>tired</u>. [고1 6월]
	~~tired~~ → tiring
	형광등 조명이 '피곤하게 하는' 것이므로 능동의 현재분사

1 He pointed at a girl <u>walked</u> up the street. [고1 3월]

2 <u>Felt</u> that the worst is over, I find my whole body loosening up and at ease. [고1 9월]

3 Many of the <u>manufacturing</u> products made today contain so many chemicals and artificial ingredients. [고1 3월 응용]

4 <u>Calling</u> "Give the Shirt Off Your Back," Toby's campaign soon collected over ten thousand T-shirts. [고1 3월]

5 Lying on the floor in the corner of the crowded shelter, <u>surrounding</u> by bad smells, I could not fall asleep. [고1 6월]

6 Even after <u>received</u> his degree, Turner was unable to get a teaching or research position at any major universities. [고1 11월 응용]

7 There is a very old story <u>involved</u> a man trying to fix his broken boiler. [고1 6월]

---

e.g. fluorescent lighting 형광등 조명   2 loosen up 긴장을 늦추다   3 manufacture 제조하다   artificial 인공적인   ingredients 재료
4 campaign 캠페인   6 degree 학위   major 주요한   8 involve 관련시키다

어법 REVIEW 2 짧은 지문 어법연습하기

Point

(A) 분사구문
(B) 보어로 사용되는 현재분사와 과거분사

supply 보급품
worn 해진, 닳은

A 다음 글의 네모 안에서 어법상 적절한 표현을 고르시오.

1 (A) Feeling / Felt a tap on his shoulder while giving away food and supplies to people, eighteen-year-old Toby Long turned around to find an Ethiopian boy (B) standing / stood behind him. The young boy looked first at his own worn shirt, then at Toby's clothes. Next, he asked if he could have Toby's shirt. [고1 3월]

Point

(A) 보어로 사용되는 현재분사와 과거분사
(B) 분사구문

opponent 상대
impatient 성급한, 조바심 나는
charge (어떤 감정에) 가득 차게 하다
amaze 놀라게 하다

2 The third match proved to be more difficult, but after some time, his opponent became impatient and (A) charging / charged ; the boy skillfully used his one move to win the match. Still (B) amazing / amazed by his success, he was now in the finals. This time, his opponent was bigger, stronger, and more experienced. [고1 9월]

Point

①, ②, ③ 명사를 수식하는 현재분사와 과거분사

behavioral 행동의, 행동에 관한
ecologist 생태학자
quoll 쿠올, 주머니고양이
cane toad 수수두꺼비
invasive 침입하는

B 다음 밑줄 친 부분 중, 어법상 틀린 것을 고르시오.

3 Behavioral ecologists have observed clever copying behavior among many of our close animal relatives. One example was uncovered by behavioral ecologists ① <u>studying</u> behavior of a small Australian animal ② <u>calling</u> the quoll. Its survival was being threatened by the cane toad, an invasive species ③ <u>introduced</u> to Australia in the 1930s. [고1 11월]

Point

①, ②, ③ 보어로 사용되는 현재분사와 과거분사

randomness 임의성
organization 조직
regularity 규칙적임
monotony 단조로움
imply 암시하다, 의미하다
unfeeling 무정함

4 Randomness, in organization or in events, is more ① <u>challenging</u> and more ② <u>frightening</u> for most of us. With "perfect" chaos we are frustrated by having to adapt and react again and again. But "perfect" regularity is perhaps even more ③ <u>horrified</u> in its monotony than randomness is. It implies a cold, unfeeling, mechanical quality. [고1 11월]

C 다음 글의 네모 안에서 어법상 적절한 표현을 고르시오.

1 People gather where things are happening and seek the presence of other people. (A) Face / Faced with the choice of walking down an empty or a lively street, most people would choose the street with life and activity. The walk will be more (B) interesting / interested and feel safer. [고1 3월]

Point

(A) 분사구문
(B) 보어로 사용되는 현재분사와 과거분사

presence 있음, 존재

2 A similar case concerns a well-known cosmetics firm (A) marketing / marketed a cream that is supposed to rapidly reduce wrinkles. But the only evidence (B) providing / provided is that "76% of 50 women agreed." [고1 6월]

Point

(A), (B) 명사를 수식하는 현재분사와 과거분사

concern 관련되다
cosmetics 화장품
market (상품을) 내놓다(광고하다)
wrinkle 주름
evidence 증거

D 다음 밑줄 친 부분 중, 어법상 틀린 것을 고르시오.

3 When I got into the back seat, I saw a brand new cell phone ① sitting right next to me. I asked the driver, "Where did you drop the last person off?" and showed him the phone. He pointed at a girl ② walking up the street. We drove up to her and I rolled down the window ③ yelled out to her. [고1 3월]

Point

①, ② 보어로 사용되는 현재분사와 과거분사
③ 분사구문

drop off 내려 주다
yell 소리치다

4 Many years later, Angela was awarded a New Directions Fellowship, ① giving to most ② promising young researchers. The award was for her research on the importance of passion and persistence. She wanted to share her achievement with her mom and express her gratitude. Angela read her research paper to her mom. Her mom was over 80, and she read a bit slower ③ ensuring her mom understood clearly. [고1 11월]

Point

①, ② 명사를 수식하는 현재분사와 과거분사
③ 분사구문

persistence 고집, 인내
gratitude 감사, 사의
ensure 반드시 ~하게 하다

1 다음 글을 읽고, 물음에 답하시오.

(a) <u>자연의 세계는 미술과 문학에서 사용되는 상징들의 풍부한 원천을 제공한다.</u> Plants and animals are central to mythology, dance, song, poetry, rituals, festivals, and holidays around the world. (b) <u>Different cultures can exhibit opposite attitudes toward a giving species.</u> Snakes, for example, are honored by some cultures and hated by others. Rats are considered pests in much of Europe and North America and greatly respected in some parts of India. Of course, within cultures individual attitudes can vary dramatically. For instance, in Britain many people dislike rodents, and yet there are several associations devoted to breeding them, including the National Mouse Club and the National Fancy Rat Club. [고1 3월]

VOCA

2 central to ~의 중심이 되는
mythology 신화
ritual 의식
4 attitude 태도, 자세
species 종
5 honor 존경하다
pest 해충, 유해 동물
6 respect 존중하다
7 vary 각기 다르다
8 rodent 설치류
9 devoted to ~에 열심인
breed 사육하다

학교시험 서술형
단골 문제 감 잡기

| 어법+영작 |

01 밑줄 친 (a)와 같은 뜻이 되도록 주어진 단어들을 알맞은 순서로 배열하시오.
(provides / used in / the natural world / a rich source of / art and literature / symbols)

_____

| 어법 파악 |

02 밑줄 친 (b)에서 어법상 틀린 부분을 찾아 바르게 고쳐 쓰고, 그 이유를 서술하시오.

_____

| 내용 파악 |

03 According to the passage above, how are the rats considered in much of North America and in some parts of India? Answer in Korean.

_____

2 다음 글을 읽고, 물음에 답하시오.

Born in 1867 in Cincinnati, Ohio, Charles Henry Turner was an early pioneer in the field of insect behavior. His father owned an extensive library where Turner became (a) <u>fascinate</u> with reading about the habits and behavior of insects. (b) <u>Proceed</u> with his study, Turner earned a doctorate degree in zoology, the first African American to do so. (c) <u>Even after receiving his degree</u>, Turner was unable to get a teaching or research position at any major universities, possibly as a result of racism. He moved to St. Louis and taught biology at Sumner High School, focusing on research there until 1922. Turner was the first person to discover that insects are capable of learning, (d) <u>곤충이 이전의 경험을 바탕으로 행동을 바꿀 수 있다는 것을 보여 주면서</u>. He died of cardiac disease in Chicago in 1923. During his 33-year career, Turner published more than 70 papers. [고1 11월]

3

6

9

12

✔ VOCA

2 pioneer 개척자
behavior 행동
extensive 광범위한
3 fascinate 마음을 사로잡다
4 proceed 진행하다
5 doctorate degree 박사 학위
zoology 동물학
7 major 주요한
racism 인종 차별
10 be capable of ~을 할 수 있다
illustrate 용례를 들어 보여주다
alter 바꾸다, 변하다
11 cardiac disease 심장병
12 publish 발표하다, 출판하다

학교시험 서술형
단골 문제 감 잡기

| 어법 파악 |
01 밑줄 친 (a)와 (b)를 어법상 바르게 고쳐 쓰시오.

(a) _____   (b) _____

| 어법+영작 |
02 밑줄 친 (c)를 부사절로 바꾸어 쓰시오.

_____

| 어법+영작 |
03 밑줄 친 (d)와 같은 뜻이 되도록 주어진 단어들을 알맞은 순서로 배열하시오.

(illustrating that / can / insects / alter / behavior / previous experience / based on)

_____

UNIT 08 관계사

문법 확인

관계대명사

- 관계대명사는 ❶_____와 ❷_____의 역할을 동시에 한다. 일반적으로 관계대명사가 이끄는 절은 앞에 나온 명사(선행사)를 뒤에서 꾸미는 ❸_____처럼 쓰인다(형용사절). 선행사의 사람/사물 여부와 격에 따라 다른 관계사가 사용된다.

선행사 〵 격	주격	소유격	목적격
사람	who	❹_____	who(m)
사물	which	whose / of which	which
사람/사물	that	–	❺_____

관계대명사의 용법

제한적 용법	관계대명사절이 선행사를 직접 수식하며, '~한, ~하는'으로 해석한다. There are many children who suffer from hunger.
계속적 용법	관계대명사 앞에 ❻_____(,)가 있으며, 선행사(명사, 어구, 앞 문장 전체)를 보충 설명한다. 관계사 앞의 절부터 해석하고, and, but 등의 접속사를 넣어 해석할 수 있다. She has two daughters, who became nurses.

관계부사

- 관계부사는 시간, 장소, 이유, 방법을 나타내는 선행사를 수식하며, 접속사와 ❼_____ 역할을 동시에 한다.

	선행사	관계부사	전치사 + 관계대명사
시간	the time, the day 등	when	in, at, on + which
장소	the place 등	❽_____	in, at, on + which
이유	the reason	why	for which
방법	the way	❾_____	in which

개념 마무리 OX

(1) 관계대명사는 선행사 앞에서 선행사를 수식한다. (O, ×)

(2) 계속적 용법에서는 관계사절이 선행사를 직접 수식한다. (O, ×)

(3) 장소를 나타내는 관계부사는 in which로 바꿔 쓸 수 있다. (O, ×)

실전어법 개념확인

Point ❶   관계대명사의 격

- 선행사가 관계사절 내에서 어떤 역할을 하는지에 따라 관계대명사의 격이 결정된다.
- _____ 관계대명사 who(m), which, that이 오는 경우, 또는 「주격 관계대명사+be동사」 뒤에 현재분사(-ing)나 과거분사(p.p.)가 올 때 「주격 관계대명사+be동사」는 _____이 가능하다.

   1 So a patient | who / whose | heart has stopped can no longer be regarded as dead.

Point ❷   관계대명사의 계속적 용법

- 관계대명사 앞에 _____(,)를 써서 선행사에 대한 부연 설명을 하는 것을 관계대명사의 _____이라 한다. 이때 관계대명사는 생략할 수 없고, 관계대명사 _____과 _____은 계속적 용법으로 쓸 수 없다.
- 계속적 용법의 선행사는 명사, 어구, 앞 문장 전체 등 다양한 형태로 올 수 있다.

   2 She admired the work of Edgar Degas and was able to meet him in Paris, | which/ that | was a great inspiration.

Point ❸   전치사+관계대명사

- 관계사절의 구조상 관계대명사가 전치사의 목적어일 때, 전치사는 관계대명사의 _____, 혹은 관계사절의 맨 끝에 온다.
- 전치사 뒤에 관계대명사가 올 경우 관계대명사는 생략할 수 없으며, 관계대명사 that과 _____는 전치사 바로 뒤에 올 수 없다.

   3 There was one of your questions | which / to which | I forgot to give an answer.

Point ❹   관계대명사 that vs. what

- 관계대명사 _____은 who(m), which를 대신해서 쓰이며 선행사를 수식하는 형용사절을 이끌고, 관계대명사 _____은 선행사를 그 안에 포함하여 주어, 목적어, 보어가 되는 명사절을 이끈다.
- 선행사가 있으면 that, 선행사가 없고 관계대명사 대신 the thing(s) which로 바꿀 수 있으면 what이 온다.

   4 Have you ever thought about how you can tell | that / what | somebody else is feeling?

Point ❺   관계부사

- 관계부사는 「전치사+관계대명사」와 바꿔 쓸 수 있다. 선행사에 따라 시간(when), 장소(where), 이유(why), 방법(how) 등의 관계부사를 사용할 수 있다.
- 선행사나 관계부사 중 하나는 생략이 가능하고, the way와 _____는 함께 쓰이지 않는다.

   5 This is one of the reasons | when / why | people still go to cinemas for good films.

Point ❻   관계대명사 vs. 관계부사

- 관계대명사 뒤에는 _____ 문장이 오고, 관계부사 뒤에는 완전한 문장이 온다.

   6 Hike the Valley is a hiking program | which / where | we guide participants through local trails every Saturday.

A 다음 중 어법상 적절한 표현을 고른 후, 그 이유를 쓰시오.

e.g. We are looking for a diversified team which / where members complement one another.

[고1 3월]

관계사 뒤에 완전한 문장이 나오므로 관계부사 where

1 First, someone who / whose is lonely might benefit from helping others. [고1 3월]

2 Clothing whom / that is appropriate for exercise and the season can improve your exercise experience. [고1 3월]

3 Many people think of which / what might happen in the future based on past failures and get trapped by them. [고1 3월]

4 They went on to collaboratively discover radium, which / that overturned old ideas in physics and chemistry. [고1 3월]

5 Now, with that picture in your mind, try to draw that / what your mind sees. [고1 3월]

6 Hunger wasn't the only problem in this area where / when poverty was everywhere. [고1 3월]

7 The teacher wrote back a long reply what / in which he dealt with thirteen of the questions. [고1 3월]

---

e.g. diversified 다양성이 있는   complement 보완하다   2 appropriate 적절한   3 trap 가두다   4 collaboratively 협력적으로   radium 라듐
overturn 뒤집다   physics 물리학   chemistry 화학   6 poverty 가난   7 deal with 다루다

B 다음 밑줄 친 부분을 어법에 맞게 고친 후, 그 이유를 쓰시오.

> **e.g.** Brazil shows the highest percentage of people <u>whom</u> mostly watch news videos via social
> networks among the five countries. [고1 3월]   *who 또는 that*
>
> 선행사가 사람이고 관계사절에서 주어 역할을 하므로 주격 관계대명사 who나 that

1 This may be difficult for people <u>whom</u> are lonely, but research shows that it can help. [고1 3월]

2 Explicit memories, on the other hand, are the memories or the specific things <u>whose</u> you consciously try to recall. [고1 11월]

3 Humans tend to like <u>that</u> they have grown up in and gotten used to. [고1 3월]

4 His father owned an extensive library <u>when</u> Turner became fascinated with reading about the habits and behavior of insects. [고1 11월]

5 This is a very small request, and most people will do <u>that</u> the salesperson asks. [고1 11월]

6 We cannot predict the outcomes of sporting contests, <u>that</u> vary from week to week.

[고1 11월]

7 This is one of the main reasons <u>when</u> technology is often resisted and why some perceive it as a threat. [고1 9월]

---

e.g. percentage 비율   via ~을 통해   2 explicit memory 외재적 기억   consciously 의식적으로   4 extensive 광범위한   fascinated 매료된
5 salesperson 판매원   6 vary 달라지다   7 resist 저항하다   perceive 인식하다

어법 REVIEW 2 짧은 지문 어법연습하기

Point

(A) 전치사+관계대명사
(B) 관계대명사 that vs. what

participation 참여
fellow 동료의
product 결과물

A 다음 글의 네모 안에서 어법상 적절한 표현을 고르시오.

1 Just think for a moment of all the people upon (A) who / whom your participation in your class depends. A class (B) that / what seems to involve just you, your fellow students, and your teacher is in fact the product of the efforts of hundreds of people. [고1 3월 응용]

Point

(A), (B) 관계대명사 that vs. what

clue 단서
shaky 떨리는
facial expression 표정

2 You might get a clue from the tone of voice (A) that / what they use. For example, they may raise their voice if they are angry or talk in a shaky way if they are scared. The other main clue you might use to tell (B) that / what a friend is feeling would be to look at his or her facial expression. [고1 9월]

Point

① 관계대명사의 격
②, ③ 관계대명사 vs. 관계부사

car wash 세차장
beggar 걸인
generous 관대한
bother 방해하다

B 다음 밑줄 친 부분 중, 어법상 틀린 것을 고르시오.

3 Kevin was in front of the mall wiping off his car. He had just come from the car wash and was waiting for his wife. An old man ① whom society would consider a beggar was coming toward him from across the parking lot. There are times ② which you feel generous but there are other times ③ when you just don't want to be bothered. This was one of those "don't want to be bothered" times. [고1 6월 응용]

Point

①, ②, ③ 관계대명사 that vs. what

exactly 정확히
pattern 패턴
point ~ out ~을 가리키다

4 You could say something like, "Do you see those five stars ① that look like a big letter W?" When you do that, you're doing exactly ② that we all do when we look at the stars. We look for patterns, not just so that we can point something out to someone else, but also because that's ③ what we humans have always done. [고1 6월]

C 다음 글의 네모 안에서 어법상 적절한 표현을 고르시오.

1 Dorothy Hodgkin was born in Cairo in 1910, (A) which / where her father worked in the Egyptian Education Service. In 1949, she worked on the structure of penicillin with her colleagues. Her work on vitamin B12 was published in 1954, (B) which / when led to her being awarded the Nobel Prize in Chemistry in 1964.

[고1 9월 응용]

> **Point**
>
> (A), (B) 관계대명사 vs. 관계부사
>
> structure 구조
> colleague 동료
> publish 출간하다
> award 수여하다

2 Subjects played a computerized driving game (A) which / in which the player must avoid crashing into a wall (B) that / what appears, without warning, on the roadway. Steinberg and Gardner randomly assigned some participants to play alone or with two same-age peers looking on. [고1 9월]

> **Point**
>
> (A) 전치사+관계대명사
> (B) 관계대명사 that vs. what
>
> subject 피실험자
> randomly 무작위로
> assign 배치하다
> participant 참가자
> peer 또래

D 다음 밑줄 친 부분 중, 어법상 <u>틀린</u> 것을 고르시오.

3 If, however, you want people to read and understand ① what you write, write it in spoken language. Written language is more complex, ② which makes it more work to read. It's also more formal and distant, ③ that makes readers lose attention. [고1 6월]

> **Point**
>
> ① 관계대명사 that vs. what
> ②, ③ 계속적 용법
>
> formal 형식적인
> distant 거리감 있는
> attention 집중, 주의

4 If you have a weakness in a certain area, get educated and do ① which you have to do to improve things for yourself. If your social image is terrible, look within yourself and take the necessary steps to improve it, TODAY. You have the ability to choose how to respond to life. Decide today to end all the excuses, and stop lying to yourself about ② what is going on. The beginning of growth comes ③ when you begin to personally accept responsibility for your choices. [고1 6월]

> **Point**
>
> ①, ② 관계대명사 that vs. what
> ③ 접속사 when
>
> weakness 약점
> certain 특정한
> necessary 필요한
> respond 대응하다
> excuse 변명, 핑계
> responsibility 책임

1 다음 글을 읽고, 물음에 답하시오.

How does a leader make people feel important? First, by listening to them. Let them know that you respect their thinking, and let them voice their opinions. As an added bonus, you might learn something! A friend of ³ mine once told me about the CEO of a large company (a) who / whom told one of his managers, "There's nothing you could possibly tell me that I haven't already thought about before. (b) <u>Don't ever tell me what</u> ⁶ <u>you think unless I ask you.</u> Is that understood?" (c) 관리자가 느꼈음에 틀림없을 자존감의 상실을 상상해 보라. It must have discouraged him and negatively affected his performance. [고1 3월] ⁹

VOCA

2 respect 존중하다
   voice 소리 내어 말하다
8 self-esteem 자존감
   discourage 낙담시키다
   negatively 부정적으로
9 performance 업무 수행

**학교시험 서술형
단골 문제 감 잡기**

| 어법 파악 |
01 (a)의 네모 안에서 어법상 맞는 것을 고르고, 그 이유를 서술하시오.

_____

| 어법+해석 |
02 밑줄 친 (b)를 우리말로 바르게 해석하시오.

_____

| 어법+영작 |
03 밑줄 친 (c)와 같은 뜻이 되도록 주어진 단어들을 알맞은 순서로 배열하시오.

(felt / of / that / the loss / imagine / self-esteem / must have / manager)

_____

2 다음 글을 읽고, 물음에 답하시오.

It's hard enough to stick with (a) <u>goals you want to accomplish</u>, but sometimes we make goals we're not even thrilled about in the first place. (b) <u>우리는 우리가 해야 하는 것에 기초하여 결심을 세운다</u>, or what others think we're supposed to do, rather than what really matters to us. This makes it nearly impossible to stick to the goal. For example, reading more is a good habit, but if you're only doing it because you feel like that's what you're supposed to do, not because you actually want to learn more, you're going to have a hard time reaching the goal. Instead, make goals based on your own values. Now, this isn't to say that you should read less. The idea is to first consider what matters to you, (c) <u>then figure out that you need to do to get there</u>. [고1 9월]

✓ VOCA

1 stick with 계속 하다
   accomplish 성취하다
2 in the first place 애초에
4 be supposed to ~하기로
   되어 있다, ~해야 한다
5 nearly 거의
9 value 가치
10 figure out 생각해 내다

학교시험 서술형
단골 문제 감 잡기

| 어법+해석 |
01 밑줄 친 (a)를 우리말로 바르게 해석하시오.

_____

| 어법+영작 |
02 밑줄 친 (b)와 같은 뜻이 되도록 주어진 단어들을 알맞은 순서로 배열하시오.
(do / we / resolutions / we are / based on / what / set / supposed to)

_____

| 어법 파악 |
03 밑줄 친 (c)에서 어법상 <u>틀린</u> 부분을 찾아 바르게 고쳐 쓰고, 그 이유를 서술하시오.

_____

UNIT 09 접속사

문법 확인

접속사

- 접속사는 단어와 단어, 구와 구, 문장과 문장을 이어주는 말이다.

  ❶_____ : 문법적으로 대등한 요소들을 연결

  종속접속사: 주절과 주절에 의미상 종속되는 ❷_____을 연결

  상관접속사: and, but, or과 같은 등위접속사가 다른 단어와 ❸_____을 이루는 접속사

등위접속사	and, but, or 등	Do you want to go to the park **or** the zoo?
종속접속사	when, while, before, after, until, because, if, although 등	**When** I arrived at the station, the train had already left.
상관접속사	not only A but (also) B, both A and B, either A or B 등	Historians try to find out **not only** what happened **but also** why it happened.

접속사가 이끄는 절

종속접속사가 이끄는 종속절은 문장에서 ❹_____, ❺_____ 역할을 한다.

명사절	주어, ❻_____, 보어 역할 (that, if, whether 등)	**Whether** he will arrive here soon is not clear. 〈주어〉 I hope **that** the world becomes a better place. 〈목적어〉 The fact is **that** he made a mistake. 〈❼_____〉
부사절	시간, 이유, 조건 등을 설명 (when, while, since, because, if, although 등)	I have lived in Seoul **since** I was born. 〈시간〉 I cannot stay outside **because** it is too cold. 〈❽_____〉 I will go there **if** the weather is fine tomorrow. 〈조건〉

개념 마무리 OX

(1) 종속접속사는 문법적으로 대등한 요소들을 연결한다. (O, ×)

(2) 등위접속사는 문법적으로 병렬구조를 이룬다. (O, ×)

(3) 명사절은 문장에서 주어, 목적어, 보어 역할을 한다. (O, ×)

실전어법 개념확인

Point ❶ 명사절을 이끄는 접속사 that vs. 관계대명사 what

- 접속사 that은 뒤에 _____ 형태의 절이 오고, 관계대명사 what은 불완전한 형태의 절이 온다.

접속사 that	관계대명사 what
I know [**that** the story is real]. S V 접속사 S′ V′ C (완전한 문장)	I know [**what** is real]. S V 관계대명사 V′ C (주어가 없음) I don't believe [**what** he says]. S V 관계대명사 S′ V′ (목적어가 없음)
접속사 that이 이끄는 명사절은 문장의 필수 성분이 모두 갖춰진 완전한 구조이다. (1형식: S+V / 2형식: S+V+C / 3형식: S+V+O 등)	관계대명사 what이 이끄는 명사절은 문장의 필수 성분이 갖춰지지 않은 불완전한 구조이다.

1 Anything of value requires ☐ that / what ☐ we take a risk of failure or being rejected.

Point ❷ 부사절을 이끄는 종속접속사

- _____을 이끄는 종속접속사의 종류

_____	when, while, as, since, till, until, before, after, as soon as 등
이유, 원인	because, as, since 등
결과	so ~ (that)..., such ~ (that) ... 등
목적	so that ~ , in order that 등
_____	if, in case, unless 등
양보	though, although, even if, while 등

2 Trade will not occur ☐ if / unless ☐ both parties want what the other party has to offer.

Point ❸ 접속사와 전치사

- _____는 뒤에 명사(구)나 동명사(구)가 오고, 접속사는 뒤에 _____ 형태의 절이 온다.

	전치사	접속사
시간	during	while
원인, 결과	because of	because
양보	despite / in spite of	though / although

3 No food will be sold ☐ because of / because ☐ it might spoil in the hot weather.

Point ❹ 접속사의 병렬구조

- _____ and, but, or로 연결되는 단어, 구, 절은 동일한 형태와 기능을 갖는데, 이를 _____라고 한다.
- 상관접속사 both A _____ B, not only A _____ B, either A or B, neither A nor B, not A but B 등도 병렬구조를 이룬다.

4 They danced in circles making joyful sounds and ☐ shaking / shook ☐ their hands.

5 Antibiotics either kill bacteria or ☐ stop / stopping ☐ them from growing.

어법 REVIEW 1 문장 어법연습하기

A 다음 중 어법상 적절한 표현을 고른 후, 그 이유를 쓰시오.

> **e.g.** Research shows that / what moderate exercise has no effect on the duration or severity of the common cold. [고1 9월]
>
> 뒤에 완전한 형태의 문장이 오므로 명사절을 이끄는 접속사 that

1 It's tempting to tell her that / who she looks great and she must feel wonderful. [고1 9월]

2 Share your favorites with your friends and family so that / because everyone can get a good laugh, too. [고1 3월]

3 He argued that / what being virtuous means finding a balance. [고1 6월]

4 Nevertheless, he was so furious that / as during the very first day he drove in 37 nails.

[고1 9월]

5 During / While a thunderstorm, clouds may become charged as they rub against each other. [고1 9월]

6 Curiosity is a way of adding value to that / what you see. [고1 6월]

7 There is nothing wrong in modifying your vision or even abandon / abandoning it, as necessary. [고1 9월]

---

e.g. moderate 적절한, 적당한   duration 지속   severity 격렬함, 극심함   **1** tempting 솔깃한   **3** virtuous 도덕적인, 덕이 있는
nevertheless 그럼에도 불구하고   **4** furious 화가 난   drive in a nail 못을 박다   **5** charge 충전하다   rub 문지르다   **6** curiosity 호기심
7 modify 수정하다   abandon 버리다

B 다음 밑줄 친 부분이 맞으면 ○표 하고, 틀리면 어법에 맞게 고친 후, 그 이유를 쓰시오.

| **e.g.** | Try experimenting with working by a window or <u>use</u> full spectrum bulbs in your desk lamp. [고1 6월] |

using

등위접속사 or에 의해 병렬구조를 이루도록 앞의 working과 같은 형태인 using

1 The Greeks figured out mathematics, geometry, and calculus long <u>before</u> calculators were available. [고1 11월]

2 <u>Because</u> this system of public financing, regulations and policies are designed to guarantee a diversity of sources of information. [고1 11월 응용]

3 The reality is that <u>despite</u> you are free to choose, you can't choose the consequences of your choices. [고1 3월]

4 Social scientists have failed to accomplish <u>that</u> might reasonably have been expected of them. [고1 11월]

5 Although he misspelled the word, the judges misheard him, told him he had spelled the word right, and <u>allow</u> him to advance. [고1 6월]

6 Trade will not occur <u>unless</u> both parties want what the other party has to offer. [고1 9월]

7 Both in the West and <u>emerging economies</u>, there are more people every day who recognize that these are all dead ends. [고1 9월]

---

1 geometry 기하학 calculus 미적분학 calculator 계산기 2 public financing 공공 융자 regulation 규정, 규제 guarantee 보장하다 diversity 다양한, 다양성 3 consequence 결과 4 accomplish 성취하다 6 trade 거래, 교역 7 emerging economies 신흥 경제 국가(들)

어법 REVIEW 2 짧은 지문 어법연습하기

Point

(A) 접속사 vs. 전치사
(B), (C) 명사절 접속사 that vs.
관계대명사 what

dense 밀집한
horizon 지평선
take for granted 당연히 여기다
namely 즉

A 다음 글의 네모 안에서 어법상 적절한 표현을 고르시오.

1 (A) Because / Because of Kenge had lived his entire life in a dense jungle that offered no views of the horizon, he had failed to learn (B) that / what most of us take for granted, namely, (C) that / what things look different when they are far away.

[고1 9월]

Point

(A) 병렬구조
(B) 동격의 that

overcome 참다, 극복하다
urge 충동
burst into tears 눈물이 터지다
share in ~을 서로 나누다

2 I managed to overcome my urge to burst into tears, and (A) express / expressed my joy and delight (B) that / what after all these years this had happened and my thanks to my daughters and my family who had shared in the struggle so long.

[고1 9월]

B 다음 밑줄 친 부분 중, 어법상 **틀린** 것을 고르시오.

Point

① 명사절 접속사 vs. 관계대명사
② 양보의 부사절
③ 명사절 접속사
④ 관계대명사

mood 기분
clue 단서

3 Sometimes, friends might tell you ① <u>what</u> they are feeling happy or sad but, ② <u>even if</u> they do not tell you, I am sure ③ <u>that</u> you would be able to make a good guess about what kind of mood they are in. You might get a clue from the tone of voice ④ <u>that</u> they use. [고1 9월]

Point

①~③ 등위접속사와 병렬구조

delight 즐거워하다
immediate 즉각적인
benefit 이점

4 Children need to be able to delight in creative and ① <u>immediate</u> language play, to say silly things and ② <u>to make</u> themselves laugh, and ③ <u>have</u> control over the pace, timing, direction, and flow. When children are allowed to develop their language play, a range of benefits result from it. [고1 6월]

C 다음 글의 네모 안에서 어법상 적절한 표현을 고르시오.

1 You'll end up drowning in a flood of information and realize only later (A) | that / what | most of that research was a waste of time. To avoid this problem, you should develop a problem-solving design plan before you start collecting information. In the design plan, you clarify the issues you are trying, state your hypotheses, and list (B) | that / what | is required to prove those hypotheses. [고1 3월]

Point

(A), (B) 명사절 접속사 that vs. 관계대명사 what

clarify 분명히 하다
state 진술하다
hypotheses 가설(pl.)
list 목록을 만들다, 열거하다

2 George Boole was born in Lincoln, England in 1815. Boole was forced to leave school at the age of sixteen (A) | after / so that | his father's business collapsed. He taught himself mathematics, natural philosophy and various languages. He began to produce original mathematical research and (B) | making / made | important contributions to areas of mathematics. [고1 11월]

Point

(A) 시간 vs. 목적의 부사절
(B) 병렬구조

collapse 무너지다
contribution 공헌, 기여

D 다음 밑줄 친 부분 중, 어법상 틀린 것을 고르시오.

3 They tend to be well-liked and respected by others ① <u>because</u> they make it clear ② <u>what</u> they value ③ <u>what</u> other people bring to the table. Intellectually humble people want to learn more and are open to finding information from a variety of sources. [고1 11월]

Point

① 이유의 부사절
②, ③ 명사절 접속사 vs. 관계대명사

intellectually 지적으로
humble 겸손한

4 On stage, focus is much more difficult ① <u>because</u> the audience is free to look wherever they like. The stage director must gain the audience's attention and ② <u>direct</u> their eyes to a particular spot or actor. This can be done through lighting, costumes, scenery, voice, and movements. Focus can be gained by simply putting a spotlight on one actor, ③ <u>by</u> having one actor in red and everyone else in gray, or by having one actor move ④ <u>during</u> the others remain still. [고1 11월]

Point

① 이유의 부사절
②, ③ 병렬구조
④ 접속사 vs. 전치사

audience 관객
scenery 배경, 무대 장치
spotlight 스포트라이트, 주목

1 다음 글을 읽고, 물음에 답하시오.

Imagine in your mind one of your favorite paintings, drawings, cartoon characters or something equally complex. Now, with that picture in your mind, try to draw (a) | that / what | your mind sees. (b) <u>If</u> you are unusually 3 gifted, your drawing will look completely different from what you are seeing with your mind's eye. However, if you tried to copy the original rather than your imaginary drawing, you might find your drawing now 6 was a little better. Furthermore, if you copied the picture many times, you would find that each time your drawing would get a little better, a little more accurate. Practice makes perfect. This is because you are developing 9 (c) <u>마음이 인식한 것과 신체 부위의 움직임을 조화시키는 기술</u>. [고1 3월]

✓ VOCA

2 complex 복잡한
4 gifted 재능 있는
5 copy 베끼다
7 furthermore 게다가
9 accurate 정확한

학교시험 서술형
단골 문제 감 잡기

| 어법 파악 |
01 (a)의 네모 안에서 어법상 적절한 것을 고르고, 그 이유를 서술하시오.

_____

| 어법 파악 |
02 밑줄 친 (b)를 어법에 맞게 고쳐 쓰고, 그 이유를 서술하시오.

_____

| 어법+영작 |
03 밑줄 친 (c)와 같은 뜻이 되도록 주어진 단어들을 알맞은 순서로 배열하시오.
(of your body parts / what / your mind perceives / the skills of coordinating / your mind perceives / with the movement)

_____

2 다음 글을 읽고, 물음에 답하시오.

(a) <u>In spite of</u> humans have been drinking coffee for centuries, it is not clear just where coffee originated or who first discovered it. However, the predominant legend has it that a goatherd discovered coffee in the ₃ Ethiopian highlands. Various dates for this legend include 900 BC, 300 AD, and 800 AD. Regardless of the actual date, it is said that Kaldi, the goatherd, (b) <u>그의 염소들이 밤에 잠을 자지 않았다는 것을 발견했다</u> after eating ₆ berries from what would later be known as a coffee tree. When Kaldi reported his observation to the local monastery, the abbot became the first person to brew a pot of coffee and note its flavor and alerting effect ₉ (c) ⏐that / when⏐ he drank it. Word of the awakening effects and the pleasant taste of this new beverage soon spread beyond the monastery.

[고1 11월]

VOCA

3 predominant 유력한, 우세한
  goatherd 염소지기
8 observation 관찰
  monastery 수도원
  abbot 수도원장
9 note 알아차리다
10 awakening 잠을 깨우는
11 beverage 음료

**학교시험 서술형
단골 문제 감 잡기**

| 어법 파악 |
01 밑줄 친 (a)를 어법에 맞게 고쳐 쓰고, 그 이유를 서술하시오.

_____

| 어법+영작 |
02 밑줄 친 (b)와 같은 뜻이 되도록 주어진 단어들을 알맞은 순서로 배열하시오.
(at night / that / noticed / did / his goats / sleep / not)

_____

| 어법 파악 |
03 (c)의 네모 안에서 어법상 적절한 것을 고르고, 그 이유를 서술하시오.

_____

명사와 대명사

문법 확인

셀 수 있는 명사 vs. 셀 수 없는 명사

		셀 수 있는 명사(가산명사)	셀 수 없는 명사(불가산명사)
		단수형과 복수형(-s[-es])이 있다.	셀 수 없으므로 ❶＿＿＿＿＿＿＿이 없다.
		부정관사 a[an]와 정관사 the를 쓸 수 있다.	부정관사 a[an]를 쓸 수 없고, 정관사 the는 쓸 수 ❷＿＿＿＿.
많은		many, a (great) number of	much, an[a] (great) amount[deal] of
		a ❸＿＿＿＿ of, lots of, plenty of	
약간의		a few	❹＿＿＿＿＿＿
		some(긍정문, 권유문), any(부정문, 의문문)	
거의 없는		❺＿＿＿＿	little
전혀 없는		no	

대명사 it의 여러 가지 쓰임

지시대명사 it	앞에 나온 단어/구/절을 대신하는 지시대명사로 쓰인다.
❻＿＿＿＿ it	시간, 날짜, 날씨, 요일 등을 나타내는 문장의 주어로, 해석하지 않는다.
가주어, ❼＿＿＿＿ it	구/절로 길어진 주어와 목적어 자리에 대신 쓰며, 해석하지 않는다.
강조구문	「It is[was] ~ that ....」구문으로 특정 부분을 ❽＿＿＿＿할 때 쓰인다.

개념 마무리 OX

(1) 셀 수 없는 명사는 부정관사 a[an]를 쓸 수 있다. (○, ×)

(2) '많은'을 뜻하는 a great deal of는 셀 수 없는 명사나 셀 수 있는 명사 앞에 모두 올 수 있다. (○, ×)

(3) 구/절로 길어진 주어와 목적어 자리에 대신 it을 쓸 수 있다. (○, ×)

실전어법 개념확인

Point ❶ 셀 수 있는 명사, 셀 수 없는 명사

- 셀 수 있는 명사는 복수형이 있으며 _____를 쓸 수 있지만, 셀 수 없는 명사는 복수형이 불가능하다.
- 주의해야 할 셀 수 없는 명사: _____(정보), advice(충고), _____(뉴스), knowledge(지식), money(돈), _____(짐, 수화물), furniture(가구), _____(장비), mail(우편), jewelry(보석류)
- 셀 수 있는 명사와 셀 수 없는 명사는 수식어가 다르며, 동사의 수 일치에 유의한다.

셀 수 있는 명사		셀 수 없는 명사
many, a (great) number of, a few, few, several, _____(둘 다), one of, each of, a couple of + 복수 명사 + 복수 동사	_____(모든), each +단수 명사 +단수 동사	much, an[a] (great) amount[deal] of, a little, _____(거의 없는) + 셀 수 없는 명사 + _____
_____(어떤, 몇몇의), any, a lot of, lots of, _____(많은), all, no + 셀 수 있는 명사/셀 수 없는 명사 + (주어에 따라) 단수/복수 동사		

1 Many successful │ person / people │ tend to keep a good bedtime routine.

Point ❷ 명사와 대명사의 일치

- 대명사는 앞에 나온 명사의 _____, 수, _____에 맞게 일치시킨다. 대명사가 대신하는 명사가 무엇인지 잘 살핀다.

2 Marie Curie's husband stopped │ her / his │ original research and joined Marie in │ her / hers │.

Point ❸ 지시대명사, 부정대명사

- 앞에 나온 구나 절을 받을 때 바로 그것을 지칭하면 지시대명사 it, 같은 종류의 것을 지칭하면 부정대명사 _____을 쓴다.
- 지시대명사 that[those]은 앞에 나온 명사나 내용의 _____을 피하기 위해 사용되며, 수 일치에 유의한다.

one ~, _____ ...	(둘 중) 하나는 ~ 나머지 하나는 …	every(모든 ~)	+ 단수 명사
one ~, another ..., the other –	(셋 중) 하나는 ~, 또 하나는 …, _____는 –	each(각각의 ~)	
_____ ~, the others ...	(여럿 중) 하나는 ~, 나머지 모두는 …	all(모든 ~)	+ _____ / 셀 수 _____ 명사
some ~, others ...	(불특정 다수 중) _____는 ~, 또 다른 일부는 …	most (대부분의 ~)	
some ~, _____ ...	(특정 다수 중) 일부는 ~, 나머지 전부는 …		

3 For health science invention, the percentage of female respondents was twice as high as │ that / those │ of male respondents.

Point ❹ 인칭대명사, 재귀대명사

- 재귀대명사의 재귀 용법: 목적어가 주어와 일치하면 목적어 자리에 인칭대명사의 _____ 대신 쓰며, 생략할 수 _____.
- 재귀대명사의 강조 용법: 주어나 목적어를 _____하기 위해 주어나 목적어 뒤에 쓰며, 생략할 수 _____.

4 The student who chose the easy path finished first and felt proud of │ him / himself │.

어법 REVIEW 1 문장 어법연습하기

A 다음 중 어법상 적절한 표현을 고른 후, 그 이유를 쓰시오.

> **e.g.** Stay in the room for a few / a little minutes, and the smell will seem to disappear. [고1 6월]
>
> minutes가 셀 수 있는 명사의 복수형

1 You take that question and come up with a new way to answer it / them . [고1 3월]

2 Each class (A) is / are limited to 10 kids. If you want more (B) information / informations ,
visit our website at www.miltondance.com. [고1 6월]

3 Such individuals are more likely to feel frustrated and to have conflicts with others and
 themselves / them . [고1 9월]

4 Much of learning occur / occurs through trial and error. [고1 3월]

5 To distinguish themselves from other commoners, these people developed new ways
of speaking to set them / themselves apart and demonstrate their new, elevated social
status. [고1 9월]

6 It's reasonable to assume that every / all adult alive today has expressed or heard from
someone else a variation of the following: "Where did all the time go?" [고1 9월 응용]

7 The good news is / are , where you end up ten years from now is up to you. [고1 3월]

---

1 come up with (답 등을) 찾아내다　　3 frustrated 좌절감을 느끼는　　conflict 갈등　　4 trial and error 시행착오　　5 distinguish 구별하다, 구분하다
commoner 평민　　demonstrate 보여 주다　　elevated 높아진　　6 assume 추정하다　　variation 변형　　7 be up to ~에 달려 있다

B 다음 밑줄 친 부분을 어법에 맞게 고친 후, 그 이유를 쓰시오.

e.g.	The emotion it is tied to the situation in which it originates. [고1 3월]
	itself
	강조의 재귀대명사로 고치거나 it 삭제

1 The people hated having kangaroo tails and no knees, and it cried out to the heavens for help. [고1 3월]

2 These microplastics are very difficult to measure once they are small enough to pass through the nets typically used to collect themselves. [고1 6월]

3 We will provide as much drinking waters as you want. [고1 11월]

4 If we have an unresolved problem with our loved one, or our colleagues, it bothers us until we clear the air and return to a state of harmony. [고1 9월]

5 Many people think of what might happen in the future based on past failures and get trapped by it. [고1 3월]

6 All these goods is shared and a spirit of community makes all participants happier. [고1 3월]

7 In everyday life we often blame people for "creating" themselves own problems. [고1 9월]

---

2 microplastic 미세 플라스틱   measure 측정하다   4 unresolved 미해결의   colleague 동료   bother 괴롭히다   5 failure 실패
trap 사로잡다   6 participant 참가자   7 blame ~을 탓하다

어법 REVIEW 2 *짧은 지문* 어법연습하기

A 다음 글의 네모 안에서 어법상 적절한 표현을 고르시오.

1

The participants who stood with close friends gave significantly lower estimates of the steepness of the hill than | that / those | who stood alone, next to strangers, or next to newly formed friends.

[고1 9월]

2

Without a doubt, dinosaurs (A) | is / are | a popular topic for kids across the planet. Something about these extinct creatures from long ago (B) | seem / seems | to hold almost everyone's attention, young or old, boy or girl. [고1 9월]

B 다음 밑줄 친 부분 중, 어법상 틀린 것을 고르시오.

3

Most bacteria ① are good for us. ② Some live in our digestive systems and help us digest our food, and some live in the environment and produce oxygen so that we can breathe and live on Earth. But unfortunately, ③ a little of these wonderful creatures can sometimes make us sick. [고1 9월]

4

You can never have too ① many education or knowledge. The reality is that most people will never have enough education in ② their lifetime. I am yet to find that one person who has been hurt in life by too much education. Rather, we see ③ lots of casualties every day, worldwide, resulting from the lack of education. [고1 3월]

C 다음 글의 네모 안에서 어법상 적절한 표현을 고르시오.

1 Because most of the plastic particles in the ocean (A) is / are so small, there is no practical way to clean up the ocean. One would have to filter enormous amounts of (B) water / waters to collect a relatively small amount of plastic. [고1 6월]

Point

(A) 셀 수 있는 명사와 동사의 수 일치

(B) 셀 수 있는 명사 vs. 셀 수 없는 명사

particle 조각
practical 실질적인, 현실적인
filter 여과하다

2 Kids learn mostly by example. They model (A) their / themselves own behavior after their parents and their older siblings. So be a good role model and set the stage for healthy eating at home and when you eat out as a family. Your actions speak louder than your words. Do not expect your kids to know for (B) them / themselves what is good for them. [고1 9월 응용]

Point

(A), (B) 인칭대명사 vs. 재귀대명사

behavior 행동
sibling 형제자매

D 다음 밑줄 친 부분 중, 어법상 틀린 것을 고르시오.

3 The biggest complaint of kids who ① don't read is that they can't find anything to read that interests ② them. This is where we parents need to do a better job of helping our kids identify the genres that excite ③ it. Your school librarian can help you choose new material that isn't familiar to you. Also, think back on the books you liked when you were a child. My husband and I both enjoyed books by Beverly Cleary and ④ it turns out our kids love them, too. [고1 11월 응용]

Point

① 주격 관계대명사절의 수 일치

②, ③ 명사와 대명사의 일치

④ 「it(가주어) ~ that(진주어)」 구문

complaint 불만
identify 찾다, 확인하다
turn out ~인 것으로 드러나다

4 On the other hand, Japanese tend to do ① little disclosing about ② them to others except to the few people with whom they are very close. In general, Asians do not reach out to strangers. They do, however, show great care for ③ each other, since they view harmony as essential to relationship improvement. They work hard to prevent ④ those they view as outsiders from getting information they believe to be unfavorable. [고1 3월]

Point

① 명사의 수량 표현

② 인칭대명사 vs. 재귀대명사

③ 부정 대명사

④ 명사와 대명사의 일치

disclosing 공개, 발설
in general 일반적으로
outsider 외부인
unfavorable 호의적이 아닌

1 다음 글을 읽고, 물음에 답하시오.

We are more likely to eat in a restaurant if we know that (a) it / one / ones is usually busy. Even when nobody tells us a restaurant is good, our herd behavior determines our decision-making. Let's suppose you 3 walk toward two empty restaurants. You do not know which one to enter. However, you suddenly see a group of six people enter one of them. (b) 당신은 텅 빈 식당 혹은 나머지 식당 중 어느 식당에 들어갈 가능성이 더 많을까? 6 Most people would go into the restaurant with people in it. Let's suppose you and a friend go into that restaurant. Now, it has eight people in it. (c) Others see that one restaurant is empty and the other has eight people 9 in it. So, they decide to do the same as the other eight. [고1 6월]

✓ VOCA

1 be likely to ~할 것 같다
3 herd behavior 무리의 행위
  determine 결정하다
  decision-making 의사결정
  suppose 가정하다
4 empty 텅 빈
  enter 들어가다

학교시험 서술형
단골 문제 감 잡기

| 어법 파악 |
01 (a)의 네모 안에서 어법상 맞는 것을 고르고, 그 이유를 서술하시오.

_____

| 어법+영작 |
02 밑줄 친 (b)와 같은 뜻이 되도록 주어진 단어들을 알맞은 순서로 배열하시오.
(which one / the other / the empty / more likely to / are you / enter, / or / one / one?)

_____

| 어법+해석 |
03 밑줄 친 (c)를 우리말로 바르게 해석하시오.

_____

2 다음 글을 읽고, 물음에 답하시오.

(a) Are you honest with you about you strengths and weaknesses? Get to really know yourself and learn what your weaknesses are. Accepting your role in your problems ⓐ <u>means</u> that you understand the solution lies ₃ within you. If you have a weakness in a certain area, get educated and do what you have to do to improve things ⓑ <u>for yourself</u>. If your social image is terrible, look within yourself and take the necessary steps to ₆ improve ⓒ <u>them</u>, TODAY. You have the ability to choose how to respond to life. Decide today to end all the excuses, and (b) <u>일어나는 일에 대해 스스로에게 거짓말하는 것을 멈춰라</u>. The beginning of growth comes when you begin ₉ to personally accept responsibility for your choices. [고1 6월]

✓ VOCA

1 strength 강점, 강함
  weakness 약점, 약함
2 accept 받아들이다
5 improve 개선하다
7 respond 응답하다, 대답하다
9 growth 성장
10 responsibility 책임

학교시험 서술형
단골 문제 감 잡기

| 어법 파악 |
01 밑줄 친 (a)에서 어법상 틀린 부분을 <u>모두</u> 찾아 바르게 고쳐 문장을 다시 쓰시오.

_____

| 어법 파악 |
02 밑줄 친 ⓐ~ⓒ에서 어법상 틀린 부분을 찾아 바르게 고쳐 쓰고, 그 이유를 서술하시오.

_____

| 어법+영작 |
03 밑줄 친 (b)를 다음 조건에 맞게 영작하시오.

〈조건〉 • 「stop+동명사」를 사용할 것
      • 재귀대명사를 사용할 것
      • what is going on을 포함하여 9단어로 쓸 것

형용사와 부사

문법 확인

형용사

• 형용사는 사람이나 사물의 상태나 성질을 나타내는 말로, 명사를 수식하거나 명사를 보충 설명하는 보어 역할을 한다.

명사 수식	역할	❶_____ 수식	Technology has doubtful advantages. 명사 앞에서 수식
	위치	명사 앞, 뒤에서 수식	I want to drink something cold. 명사 뒤에서 수식
보어 역할	역할	명사를 보충 설명	The soup tastes salty. 주어　동사　주격보어
	위치	주격보어, ❷_____ 자리	These wonderful creatures can make us sick. 주어　　　동사　목적어　목적격보어

부사

• 부사는 대개 「형용사+-ly」 형태로, 동사, 형용사, 다른 부사, 구, 절 또는 문장 전체를 수식한다.

역할	❸_____ 수식	The rich man was very unkind and cruel to them. 부사　형용사1　　형용사2
	동사 수식	He accidentally dropped the glass when the bell rang. 부사　　　동사
	❹_____ 수식	His car passed my car so fast. 부사　부사
	문장 전체 수식	Finally, he asked the US Food and Relief Administration for help. 부사　　　　　　　　　　문장 전체

• 빈도부사: 횟수나 빈도를 나타내며 대개 일반동사 ❺_____, be동사나 조동사 ❻_____에 온다.

always 〉 usually 〉 often 〉 ❼_____ 〉 seldom 〉 rarely 〉 ❽_____
　100%　　90%　　70%　　　　50%　　　　　30%　　10%　　　　0%
　　　　　　　　　　　　　　때때로　　　　　　　　　　　　　결코 ~ 않다

⌐ 개념 마무리 OX

(1) 형용사는 명사 앞이나 뒤에서 그 명사를 수식한다. (O, ×)

(2) 형용사와 부사 모두 보어 자리에 올 수 있다. (O, ×)

(3) 부사는 다른 품사를 수식하는 역할을 하므로, 부사가 없어도 문장이 성립된다. (O, ×)

실전어법 개념확인

Point ❶ 형용사

- 형용사의 한정적 용법: 명사의 앞이나 뒤에서 그 명사를 _____하여 상태나 성질을 나타낸다.
  -thing, -body, -one 등으로 끝나는 명사는 형용사가 _____에서 수식한다.
- 형용사의 서술적 용법: 주어나 목적어를 보충 설명하는 _____나 목적격보어 역할을 한다. 부사는 _____자리에 올 수 없다.
  서술적 용법으로만 쓰이는 형용사: alive, alike, asleep, awake, alone, afraid 등

1 Old ideas are replaced when scientists find ⃞new / newly⃞ information that they cannot explain.

Point ❷ 부사

- 부사는 동사, _____, 다른 부사, 구, 절 또는 _____를 수식하며, 시간, 장소, 방법, 정도, 원인, 결과, 빈도 등을 나타낸다.

2 Do you ⃞real / really⃞ know what you are eating when you buy canned foods?

Point ❸ 주의해야 할 형용사/부사

- 의미에 유의하여 어법과 문맥에 따라 적절한 표현을 사용한다.

1. 혼동하기 쉬운 형용사와 부사

most almost mostly	형 가장, 대부분의 부 거의 부 주로, 대개	_____ lonely	형 혼자 있는 부 홀로 형 외로운, 고독한	last	_____	형 최후의 형 최근의

2. -ly 가 붙어 의미가 달라지는 부사

late lately	형 늦은 부 늦게 부 _____	hard hardly	형 어려운; 딱딱한 부 열심히 부 _____	deep deeply	형 깊은 부 깊이 부 깊이; 진심으로
high highly	형 높은 부 높이 부 높이; 매우	near nearly	형 가까운 부 가까이에 부 거의	short shortly	형 짧은 부 짧게; 부족하여 부 곧, 즉시

3 For all of human history, we have been the ⃞most / almost⃞ creative beings on Earth.

Point ❹ 부정의 의미가 있는 부사

준부정	hardly, scarcely, seldom, rarely, barely	거의 ~ 않는, 좀처럼 ~ 않는
	little, few	

이미 부정의 의미가 있으므로 no, never, not, none, without 등의 _____와 함께 쓰지 않는다.

완전부정	none, not	전혀(모두) ~이 아닌
	_____, neither	결코 ~ 아닌
	no(not) ~ any/either, not at all 등	어떤 ~도 아닌
부분부정	부정어+every, all, both, always, completely 등	모두(둘 다/항상/완전히) ~은 아닌

4 They were away at college and ⃞not rarely / rarely⃞ responded to her letters.

어법 REVIEW 1 문장 어법연습하기

A 다음 중 어법상 적절한 표현을 고른 후, 그 이유를 쓰시오.

> **e.g.** Not everything is / isn't taught at school! [고1 3월]
>
> not everything은 '모든 것이 ~은 아닌'이라는 뜻의 부분부정

1 It was hard / hardly for me to remove my weight belt. [고1 3월]

2 Although rewards sound so positive / positively , they can often lead to negative consequences. [고1 9월]

3 Most of us are suspicious of rapid / rapidly cognition. [고1 3월]

4 The guard took him to the rich man, who decided to punish him severe / severely . [고1 3월]

5 The slow pace of transformation also makes it difficult / difficultly to break a bad habit. [고1 3월]

6 Interesting / Interestingly , in 2016, the number of tourists dropped to less than one hundred thousand for both cities. [고1 9월]

7 Of the five regions, North East Asia showed the highest / highly number in direct job creation by travel and tourism in 2017, with 30.49 million jobs. [고1 11월]

---

1 remove 제거하다   2 negative 부정적인   consequence 결과   3 suspicious 의심스러운   cognition 인식   4 severe 가혹한
5 transformation 변화   6 tourist 관광객   7 region 지역

B 다음 밑줄 친 부분이 맞으면 ○표 하고, 틀리면 바르게 고친 후, 그 이유를 쓰시오.

e.g.	Clear, the class requires a teacher to teach it and students to take it. [고1 3월]
	Clearly
	'명백히'라는 뜻으로, 문장 전체를 수식하는 부사

1 Her mother hugged her <u>tightly</u> and looked at the wound. [고1 3월]

2 They know that if they get you to lose your cool you'll say something that sounds <u>foolishly</u>.
[고1 3월]

3 I was sinking and <u>hard</u> able to move. [고1 3월]

4 <u>Recently</u> studies point to the importance of warm physical contact for healthy relationships with others. [고1 6월]

5 The subject matter included modernization of the landscape; railways and factories. Never before had these subjects been considered <u>appropriate</u> for artists. [고1 11월]

6 On reading and math tests, elementary and high school students in (A) <u>noisy</u> schools or classrooms (B) <u>consistently</u> perform below those in quieter settings. [고1 3월]

7 Unless you are <u>unusual</u> gifted, your drawing will look completely different from what you are seeing with your mind's eye. [고1 3월]

---

1 wound 상처 4 relationship 관계 5 include 포함하다 modernization 현대화 appropriate 적절한 6 consistently 일관되게
7 gifted 재능이 있는 completely 완전히

A 다음 글의 네모 안에서 어법상 적절한 표현을 고르시오.

1 Aristotle's suggestion is that virtue is the midpoint, where someone is (A) either / neither too generous nor too stingy, neither too afraid nor (B) reckless / recklessly brave. [고1 6월]

2 The sand hills are located near the ocean, so you can enjoy sandboarding and the (A) beautiful / beautifully view of the ocean at the (B) same / samely time. [고1 11월]

B 다음 밑줄 친 부분 중, 어법상 틀린 것을 고르시오.

3 It was suggested that 'the evolved psychology of cooperation is ① highly sensitive to subtle cues of being watched,' and that the findings may have implications for how to provide ② effectively nudges toward ③ socially beneficial outcomes. [고1 6월]

4 The ① historical tendency, framed in the outdated dualism of us versus them, is strong ② enough to make ③ a lot of people cling to the status quo. Denial of who animals are ④ convenient allows for maintaining false stereotypes about the cognitive and emotional capacities of animals. [고1 11월]

C 다음 글의 네모 안에서 어법상 적절한 표현을 고르시오.

1 Consumers are (A) general / generally uncomfortable with taking high risks. As a result, they are (B) usual / usually motivated to use a lot of strategies to reduce risk. [고1 3월]

Point

(A), (B) 빈도부사

uncomfortable 불편한
motivated 자극받은, 동기가 부여된
strategy 전략
reduce 줄이다

2 In the (A) classical / classically fairy tale the conflict is often (B) permanent / permanently resolved. Without exception, the hero and heroine live (C) happy / happily ever after. By contrast, many present-day stories have a less (D) definitive / definitively ending. [고1 3월]

Point

(A), (D) 명사 수식
(B) resolved의 품사 확인
(C) 동사 수식

conflict 갈등
permanent 영구적인
resolved 해결된
by contrast 반면, 반대로
definitive 결정적인

D 다음 밑줄 친 부분 중, 어법상 **틀린** 것을 고르시오.

3 In these studies, students who ① successful acquired one positive habit reported less stress; less impulsive spending; better dietary habits; ② decreased caffeine consumption; fewer hours spent watching TV; and even fewer dirty dishes. Keep working on one habit long ③ enough, and not only does it become ④ easier, but so do other things as well. [고1 3월]

Point

① 동사 수식
② 분사형 형용사
③ enough의 품사
④ become 다음에 쓰이는 말

acquire 획득하다, 습득하다
impulsive 충동적인
dietary habit 식습관
consumption 소비
as well 또한, 마찬가지로

4 People in today's fast-paced society engage in this either for necessity or for entertainment. Whatever purpose it may be, people are now ① slowly but ② surely getting acquainted with foraging. More and more people find it ③ quite a fulfilling task and very ④ beneficially. [고1 11월]

Point

①, ② getting 수식
③ quite+관사+형용사+명사
④ find+목적어+목적격보어

engage in ~에 관여하다
get acquainted with ~에 익숙해지다
forage 식량을 찾아다니다
fulfilling 성취감을 주는

1 다음 글을 읽고, 물음에 답하시오.

Bad lighting can increase stress on your eyes, as can light that is too bright, or (a) <u>여러분의 눈에 직접적으로 비추는 빛</u>. Fluorescent lighting can also be tiring. What you may not appreciate is that the quality of light ₃ may also be important. (b) │Most / Almost│ people are happiest in bright sunshine — this may cause a release of chemicals in the body that bring a feeling of emotional well-being. Artificial light, which typically contains ₆ only a few wavelengths of light, does not seem to have the same effect on mood that sunlight has. Try experimenting with working by a window or using full spectrum bulbs in your desk lamp. You will probably find that ₉ this improves the quality of your working environment. [고1 6월]

VOCA

2 fluorescent lighting 형광등

3 appreciate 제대로 인식하다; 진가를 인정하다

5 release 분비, 방출

6 emotional 감정적인

7 wavelengths 파장

9 bulb 전구

10 improve 향상시키다, 개선하다

학교시험 서술형
단골 문제 감 잡기

| 어법+영작 |

01 밑줄 친 (a)와 같은 뜻이 되도록 주어진 단어들을 알맞은 순서로 배열하시오.

(light / shines directly / that / your eyes / into)

_____

| 어법 파악 |

02 (b)의 네모 안에서 어법상 적절한 것을 고르고, 그 이유를 서술하시오.

_____

| 내용 파악 |

03 According to the passage above, which is better, sunlight or artificial light? Answer with an English sentence.

_____

2 다음 글을 읽고, 물음에 답하시오.

Do hair and fingernails continue to grow after a person die? The (a) <u>shortly</u> answer is no, though it may not seem that way to the (b) casual / casually observer. That's because after death, the human ₃ body dehydrates, causing the skin to shrink, or become smaller. This shrinking exposes the parts of the nails and hair that were once under the skin, causing them to appear longer than before. (c) <u>Typical</u>, fingernails ₆ grow about 0.1 millimeters a day, but in order to grow, they need glucose — a simple sugar that helps to power the body. (d) <u>Once the body dies, there's no more glucose.</u> So skin cells, hair cells, and nail cells no longer ₉ produce new cells. Moreover, a complex hormonal regulation directs the growth of hair and nails, none of which is impossible once a person dies.

[고1 9월]

VOCA

1 fingernail 손톱
3 casual 무심한, 대충의
4 dehydrate 수분이 빠지다, 건조되다
  shrink 오그라들다
5 expose 노출시키다, 폭로하다
7 glucose 글루코오스, 포도당
9 cell 세포
10 hormonal regulation 호르몬 조절
  direct 지휘하다

학교시험 서술형
단골 문제 감 잡기

| 어법 파악 |
01 밑줄 친 (a)와 (c)를 어법에 맞게 고쳐 쓰시오.

(a) _____ (c) _____

| 어법 파악 |
02 (b)의 네모 안에서 어법상 적절한 것을 고르고, 그 이유를 서술하시오.

| 어법+해석 |
03 밑줄 친 (d)를 우리말로 바르게 해석하시오.

UNIT 12 비교

문법 확인

비교구문

- 비교구문이란 '형용사와 부사'의 원급, 비교급, 최상급 비교 표현을 포함한 문장을 말한다.
- 문장 구조를 살펴 형용사(명사 수식)를 쓸지, 부사(동사 수식)를 쓸지 파악해야 한다.

원급	as+형용사/부사의 ❶_____ + ❷_____	~만큼 …한/하게
비교급	형용사/부사의 비교급 + ❸_____	(둘 중) ~보다 더 …한/하게
❹_____	the+형용사/부사의 최상급+(in/of ~)	(여러 대상) ~ 중에서 가장 …한/하게

비교급/최상급 불규칙 변화

- 형용사/부사의 비교급은 -(e)r을 붙이고, 최상급은 -(e)st를 붙인다.
- 대부분의 2음절 이상의 형용사/부사는 비교급에 ❺_____, 최상급에 most를 붙인다.
- 불규칙하게 변화하는 형용사/부사

many[much] – more – most	little – less – ❻_____
good[well] – better – best	bad[ill] – ❼_____ – worst
late(순서) – latter – last	late(시간) – later – latest
old(나이) – older – oldest	old(연배) – ❽_____ – eldest

원급/비교급을 활용한 최상급 표현

- The most important to us is the satisfaction of our customers.
  = Nothing is as important to us ❾_____ the satisfaction of our customers.
  = Nothing is more important to us ❿_____ the satisfaction of our customers.
  = The satisfaction of our customers is more important to us than anything else.

개념 마무리 OX

(1) 원급 비교는 두 대상 중 하나가 다른 하나보다 '더 ~한' 상태를 나타낸다. (O, X)

(2) famous, expensive, careful 등의 단어는 앞에 most를 넣어 최상급을 만든다. (O, X)

(3) 원급이나 비교급을 통해서도 최상급 표현을 만들 수 있다. (O, X)

실전어법 개념확인

Point ① 형용사/부사의 원급

- 원급 비교구문의 기본 형태: _____ + 원급 + _____ (~만큼 …한/하게)
- 원급 비교구문의 부정 표현은 not을 as 앞에 넣어 「not as[so] + 원급 + as」로 쓴다. (= _____ + 원급 + than)

as + 원급 + as _____ = as + 원급 + as + 주어 + can	가능한 한 ~한/하게
배수사(twice, three times …) + as + 원급 + as	~의 몇 배의

1 Be as ⌜creative / creation⌟ as you like, and write one short sentence about the selfie.

Point ② 형용사/부사의 비교급

- 비교급 비교구문의 기본 형태: 비교급 + _____ (~보다 더 …한/하게)

the + 비교급 ~, _____ …	~하면 할수록, 더 …한/하게
비교급 and 비교급	점점 더 ~한/하게

2 In 2011, Internet usage time by mobiles was ⌜short / shorter⌟ than that by desktops or laptops.

3 The ⌜big / bigger⌟ the team, the more possibilities exist for diversity.

Point ③ 형용사/부사의 최상급

- 최상급 비교구문의 기본 형태: the + 최상급+단수 명사(+ in/of ~)((~ 중에서) 가장 …한/하게)

the + 최상급 + 단수 명사 + have[has] ever p.p.	지금까지 ~ 중에 가장 …한
one of the + 최상급 + _____ 명사	가장 …한 것들 중 하나
the + _____ + 최상급	~번째로 가장 …한

4 With a population of about 10,000, Nauru is the ⌜smaller / smallest⌟ country in the South Pacific.

Point ④ 비교급의 강조 표현

- 비교급을 강조하는 수식어는 _____, even, still, _____, a lot 등이 있으며, very로 비교급을 수식할 수 _____.
  cf. 원급을 강조하는 수식어: very, almost … / 최상급을 강조하는 수식어: much, quite, the very, by far …

5 Now the word 'near' means ⌜very / much⌟ longer than an arm's length away.

Point ⑤ 비교구문의 병렬구조

- 비교구문에서 비교되는 두 대상은 서로 _____가 같아야 한다.
- 「소유격 + 명사」의 경우 _____로 올 수 있고, 명사의 경우 대명사 that/those 등이 대신할 수 있다.

6 The percentage of female respondents was twice as high as ⌜that / those⌟ of male respondents.

어법 REVIEW 1 문장 어법연습하기

A 다음 중 어법상 적절한 표현을 고른 후, 그 이유를 쓰시오.

> **e.g.** He ran as fast / faster as he could and launched himself into the air. [고1 9월]
>
> as+부사 원급+as: ~만큼 …하게

1 The Internet revolution has not been as important as / than the washing machine and other household appliances. [고1 9월]

2 In 2016, the number of jobs in South Asia that travel and tourism directly contributed was the largest of the five regions, but it ranked the second high / highest in 2017. [고1 11월]

3 Unlike in 2013, in 2015 the rate for "Director" was little / less than half that for "Actor."

[고1 6월]

4 The eyes are one of the most / more important means of cooperation, and eye contact may be the most powerful human force we lose in traffic. [고1 3월]

5 Though an online comment — positive or negative — is not as / as not powerful as a direct interpersonal exchange, it can be very important for a business. [고1 3월]

6 This ends a sentence on a positive note and has a very / much lower tendency to cause someone to challenge it. [고1 6월]

7 Of the five regions, North East Asia showed the highly / highest number in direct job creation by travel and tourism in 2017, with 30.49 million jobs. [고1 11월]

---

1 revolution 혁명　household appliance 가전제품　2 contribute 제공하다　region 지역　3 director 감독　4 cooperation 협동, 협력
eye contact 시선을 마주침　5 comment 평가　interpersonal 대인 관계와 관련된　6 tendency 경향　challenge 이의를 제기하다

B 다음 밑줄 친 부분을 어법에 맞게 고친 후, 그 이유를 쓰시오.

e.g.	In the long term, lies with good intentions hurt people much more than <u>tell</u> the truth.

telling

[고1 3월]

비교 대상이 명사형 lies이므로 동명사 필요

1 It still has 45 languages, and <u>very</u> greater cultural diversity. [고1 6월]

2 One of <u>the most essential decision</u> any of us can make is how we invest our time. [고1 6월]

3 Even in <u>the oppressivest</u> decades of the Industrial Revolution, people didn't give up their free will when it came to time. [고1 6월]

4 When they have eaten <u>as more as</u> their bellies can take, they still feel empty, they still feel an urge for further gratification. [고1 6월]

5 These explorations pose no risk to human life and are less expensive than <u>one</u> involving astronauts. [고1 6월]

6 "I can walk <u>more fast</u> than you think!" Grandmother replied, with a smile. [고1 6월]

7 Once cooperation replaced competition and the groups stopped to look down on each other, group boundaries melted away as <u>quicklier</u> as they had formed. [고1 3월 응용]

---

1 diversity 다양성   2 essential 필수의, 근본적인   3 oppressive 억압적인   4 belly 배, 복부   urge 욕구, 충동   gratification 만족감
5 exploration 탐험   astronaut 우주 비행사   7 competition 경쟁   boundary 경계선, 분계선

어법 REVIEW 2 짧은 지문 어법연습하기

Point

(A), (B), (C) 형용사 / 부사의 비교급

acquire 획득하다, 얻다
impulsive 충동적인
dietary habit 식습관
consumption 소비, 섭취

A 다음 글의 네모 안에서 어법상 적절한 표현을 고르시오.

1 In these studies, students who successfully acquired one positive habit reported (A) less / more stress; less impulsive spending; (B) worse / better dietary habits; decreased caffeine consumption; fewer hours spent watching TV; and even (C) less / fewer dirty dishes. [고1 3월]

Point

(A) 배수사 + as + 원급 + as
(B) 비교급 + than
(C) the + 최상급 + in ~

twice 두 배의
combined 합친, 연합된
gap 차이

2 In 2012, the percentage of the 6-8 age group was twice as (A) large / larger as those of the 15-17 age group. In 2014, the percentage of the 6-8 age group was (B) larger / bigger than the combined percentage of the two age groups 12-14 and 15-17. The gap in the percentages between 2012 and 2014 was the (C) smaller / smallest in the 12-14 age group. [고1 9월]

Point

① 형용사 / 부사의 비교급
② 비교급 강조 수식어
③ 비교급 vs. 최상급

unit 단위
organ 기관, 장기

B 다음 밑줄 친 부분 중, 어법상 틀린 것을 고르시오.

3 In newborns, the brain is no ① less than 65 percent. That's partly why babies sleep all the time. Actually, per unit of matter, the brain uses by far ② more energy than our other organs. That means that the brain is the ③ more expensive of our organs.

[고1 6월 응용]

Point

① 비교급
② 비교구문의 병렬구조: 수 일치
③ 최상급

expenditure 지출, 비용
compared to ~와 비교하여
Asia-Pacific 아시아·태평양

4 The table above shows the number of trips and expenditures for wellness tourism, travel for health and well-being, in 2015 and 2017. Both the total number of trips and the total expenditures were ① higher in 2017 compared to ② that in 2015. Of the six listed regions, Europe was ③ the most visited place for wellness tourism in both 2015 and 2017, followed by Asia-Pacific. [고1 11월]

C 다음 글의 네모 안에서 어법상 적절한 표현을 고르시오.

1 As a consequence, in many regions of the world there are as many types of dances (A) as / than there are (B) community / communities with distinct identities. [고1 11월]

Point

(A) as+원급+as
(B) 비교구문의 병렬구조: 수 일치

consequence 결과
distinct 뚜렷한, 분명한
identity 정체성

2 The first person to turn a spyglass toward the sky was an Italian mathematician and professor named Galileo Galilei. As he made (A) better and better / best and best spyglasses, which were (B) late / later named telescopes, Galileo decided to point one at the Moon. [고1 9월]

Point

(A) 비교급 and 비교급
(B) 원급 vs. 비교급

spyglass 작은 망원경
telescope 망원경
point 향하게 하다

D 다음 밑줄 친 부분 중, 어법상 <u>틀린</u> 것을 고르시오.

3 Indeed, research suggests that students who are confident about their ability to succeed in school tend to perform ① <u>better</u> on academic tests than ② <u>that</u> with less confidence. Students who are overconfident about their ability to succeed in college end up feeling ③ <u>more disconnected</u> and disillusioned than ④ <u>those</u> with more modest expectations. [고1 11월 응용]

Point

① 비교급+than
②, ④ 비교구문의 병렬구조: 수 일치
③ 3음절 형용사의 비교급

confident 자신감 있는
confidence 자신감
overconfident 지나치게 자신감이 넘치는
disconnected 단절된
disillusioned 환멸을 느낀
modest 보통의, 적당한

4 In terms of the number of native speakers, however, Chinese is ① <u>the most</u> spoken language worldwide, followed by Hindi. The number of native speakers of English is ② <u>smaller than</u> ③ <u>that</u> of Spanish. French is the ④ <u>less</u> spoken language among the five in terms of the number of native speakers. [고1 3월 응용]

Point

①, ④ the+최상급
② 비교급+than
③ 비교구문의 병렬구조: 수 일치

in terms of ~의 측면에서
native 원어민의

어법 REVIEW 3 *서술형내신* 어법연습하기

1 다음 글을 읽고, 물음에 답하시오.

The above graph shows how people in five countries consume news videos: on news sites versus via social networks. Consuming news videos on news sites is more popular than via social networks in four countries. As for people who mostly watch news videos on news sites, (a) <u>Finland shows the high percentage among the five countries.</u> The percentage of people who mostly watch news videos on news sites in France is higher than (b) <u>that</u> in Germany. As for people who mostly watch news videos via social networks, (c) <u>다섯 개 국가 중에서 일본이 가장 낮은 비율을 보여 준다.</u> Brazil shows the highest percentage of people who mostly watch news videos via social networks among the five countries. [고1 3월 응용]

VOCA

1 consume 소비하다
2 versus 대
　via ~을 통하여
4 mostly 주로, 대개
5 among ~ 사이에

학교시험 서술형
단골 문제 감 잡기

| 어법 파악 |
01 밑줄 친 (a)에서 어법상 <u>틀린</u> 부분을 찾아 바르게 고쳐 문장을 다시 쓰시오.

| 내용 파악 |
02 밑줄 친 (b)가 가리키는 것을 본문에서 찾아 쓰시오.

| 어법+영작 |
03 밑줄 친 (c)를 다음 조건에 맞게 영작하시오.

〈조건〉 • 최상급 구문을 사용할 것
　　　 • low, among을 포함하여 9단어로 쓸 것 (필요하면 변형)

---

98 · PART 5 **기타구문**

2 다음 글을 읽고, 물음에 답하시오.

The above graph shows what devices British people considered
_____(a)_____ when connecting to the Internet in 2014 and 2016.
(b) <u>More than a third of UK Internet users</u> considered smartphones to be ³
their most important device for accessing the Internet in 2016. In the same
year, the smartphone overtook the laptop as the most important device
for Internet access. In 2014, UK Internet users (c) <u>가장 중요한 장치로 태블릿</u> ⁶
<u>을 선택하는 경향이 가장 적게 있었다</u> for Internet access. In contrast, they were
the least likely to consider a desktop as their most important device for
Internet access in 2016. The proportion of UK Internet users who selected ⁹
a desktop as their most important device for Internet access increased by
half from 2014 to 2016. [고1 6월]

VOCA

1 device 장치
2 connect 접속하다
4 access 접속하다; 접속
5 overtake 추월하다, 앞지르다
9 proportion 비율
10 increase 증가하다

학교시험 서술형
단골 문제 감 잡기

| 어법 파악 |
01 빈칸 (a)에 '가장 중요한'의 뜻을 가진 형용사를 알맞은 형태로 쓰시오.

_____

| 어법+해석 |
02 밑줄 친 (b)를 우리말로 바르게 해석하시오.

_____

| 어법+영작 |
03 밑줄 친 (c)와 같은 뜻이 되도록 주어진 단어들을 알맞은 순서로 배열하시오.
(were / to select / as / the least likely / their / most important / a tablet / device)

_____

특수구문

문법 확인

강조

- 다음의 두 가지 방법으로 문장의 특정 부분을 강조할 수 있다.
  - 「It ~ that」 강조구문
  - 조동사 ❶_____ 강조

도치

- 일반적인 문장의 어순인 「주어+동사」를 「❷_____+_____」로 바꾸어 쓰는 것을 말한다.

부정

- 부정어를 추가하여 문장을 부정문으로 만들 수 있다.
  - be동사+❸_____
  - do[does]+not+일반동사
  - no+❹_____

간접의문문

- 문장에 포함된 의문문의 형태로, 어순은 「의문사+❺_____+동사」이다.

동격

- 명사 또는 명사 상당어구의 ❻_____에 다른 명사 상당어구를 추가하여 설명을 보충하는 것을 말한다.

삽입

- 부가적인 설명을 위해 단어, 구, 절 등을 문장 가운데 추가하는 것을 말한다.

생략

- 문장을 간결하게 하기 위해 반복되거나 문맥을 통해 유추 가능한 정보를 ❼_____하는 것을 말한다.
  - 동일어구의 생략
  - 부사절의 「주어+❽_____」 생략
  - 목적격 관계대명사 생략
  - 「주격 관계대명사+be동사」 생략

개념 마무리 OX

(1) 강조와 도치를 통해 문장의 특정 부분을 강조할 수 있다. (O, ×)

(2) 설명을 보충하기 위해 단어, 구, 절 등을 문장 앞에 추가하는 것을 삽입이라 한다. (O, ×)

(3) 「주어+be동사」는 절의 종류와 관계없이 언제든지 생략 가능하다. (O, ×)

실전어법 개념확인

Point ❶ 강조

- 「It+_____」와 that 사이에 강조하고자 하는 어구를 넣는다. _____은 강조되는 어구에 따라 who, whom, which, when, where 등으로 바꾸어 쓸 수 있다.
- 동사의 의미를 강조하기 위해 동사원형 앞에 _____를 쓸 수 있으며, do의 형태는 주어의 수와 본동사의 시제에 일치시킨다.

  1 It is this fact of plants' immobility │what / that│ causes them to make chemicals.
  2 Asians │do / does│, however, show great care for each other.

Point ❷ 도치

- 도치란 강조하고자 하는 어구를 문장의 맨 _____에 두고 이어지는 문장의 어순을 「_____+주어」로 바꾸는 것이다.
- 주로 사용되는 도치의 형태: 장소, 방향 등을 나타내는 부사(구) 도치, 보어 도치, 부정어(구) 도치, there/here 도치, so/neither[nor] 도치

  3 Once in a village │lived a rich man / a rich man lived│.

Point ❸ 부정

	부분부정	전체부정
의미	모두/항상/둘 다 ~인 것은 아니다	모두/전혀 ~ 아니다
형태	not+all/every/always/both ...	not+any/either, no, none, never, neither ...

- 전체부정 no vs. none
  no(= not a / not any): 「no+_____」 형태로 사용
  none: 명사 없이 단독 사용 또는 'none _____ ~' 형태로 사용

  4 Humans have │always not / not always│ had the abundance of food that is enjoyed throughout most of the developed world today.

Point ❹ 간접의문문

- 간접의문문이란 _____(what, where, how much ...)나 if[whether]로 시작하는 의문문이 다른 문장의 일부로 사용되는 형태를 말한다.
- 주로 사용되는 간접의문문의 형태:

의문사가 있는 경우	의문사+주어+동사	의문사가 없는 경우	if[whether]+주어+동사
	의문사(주어)+동사		

- 의문사 중 how much, how old 등 「how+_____/부사」의 경우는 한 덩어리로 취급한다.
- 주절의 동사가 생각이나 추측을 나타내는 경우(think, believe, guess, imagine, suppose ...)는 의문사를 문장의 맨 앞에 쓴다.

  5 When I drove out of the parking lot, I doubted whether │could I / I could│ make it.
  6 Ideas about how much │disclosure is / is disclosure│ appropriate vary among cultures.

어법 REVIEW 1 문장 어법연습하기

정답과 해설 p. 38

A 주어진 단어들을 모두 사용하여 밑줄 친 부분에 들어갈 문장을 완성하시오.

e.g.	Next, he asked _____. (Toby's shirt / could / he / have / if) [고1 3월]
	if he could have Toby's shirt

1 At that point I said, "You really _____ now, don't you?" (have / to / do / leave)

[고1 6월]

2 Very old trees in particular can offer clues about _____.
(like / what / the climate / was) [고1 6월 응용]

3 _____: You read the chapter once, perhaps highlighting as you go.
(how / works / is / it / Here) [고1 6월]

4 Students work to get good grades even when they have _____.
(in / studies / no / their / interest) [고1 6월]

5 Keep working on one habit long enough, and not only _____, but so do other
things as well. (become / does / easier / it) [고1 3월]

6 Storyteller Syd Lieberman suggests that it _____ provides the nail to hang facts
on. (the story / in history / that / is) [고1 3월]

7 Humans _____ of food that is enjoyed throughout most of the developed
world today. (have / the abundance / not always / had) [고1 9월 응용]

8 The speed of time and our perception of it is heavily influenced by _____ for
our minds to absorb and process. (how / is / new information / available / much) [고1 9월 응용]

---

2 offer 제공하다   clue 단서   3 highlight 강조 표시를 하다   4 interest 관심   7 developed 발전된   abundance 풍부함
8 perception 개념   influence 영향을 주다   absorb 흡수하다   process 처리하다

어법 REVIEW 2 짧은지문 어법연습하기

정답과 해설 **p. 38**

A 다음 글의 네모 안에서 어법상 적절한 표현을 고르시오.

1 Even if dragons feature in stories created today, they have always been the products of the human imagination and (A) never / no existed. Dinosaurs, however, (B) do / did once live. [고1 6월 응용]

> **Point**
> (A) 전체부정
> (B) 강조의 do
>
> feature (중요한 역할로) 보여 주다
> imagination 상상
> exist 존재하다

2 (A) There are many methods / There many methods are for finding answers to the mysteries of the universe, and science is only one of these. However, science is unique. Instead of making guesses, scientists follow a system designed to prove (B) if are their ideas / if their ideas are true or false. [고1 9월]

> **Point**
> (A) there 도치
> (B) if 간접의문문
>
> mystery 불가사의
> unique 독특한
> guess 추측

B 다음 글의 밑줄 친 부분 중, 어법상 틀린 것을 고르시오.

3 On the walk back to the farm, Mary wondered why ① white people had all kinds of nice things and why, above all, ② they could read while black people couldn't. She decided to learn to read. At home the little girl asked her father to let her go to school, but he told her calmly, "There is ③ no any school." [고1 3월 응용]

> **Point**
> ①, ② why 간접의문문
> ③ 전체부정
>
> wonder 의아해하다
> calmly 조용히

4 From a correlational observation, we conclude that one variable is related to a second variable. But ① neither behavior could be directly causing the other even though ② there is a relationship. The following example will illustrate ③ why is it difficult to make causal statements on the basis of correlational observation. [고1 9월]

> **Point**
> ① 전체부정
> ② there 도치
> ③ why 간접의문문
>
> correlational 상관관계의
> observation 관찰
> variable 변인
> illustrate 보여 주다

어법 REVIEW 3 *서술형내신* 어법연습하기

1 다음 글을 읽고, 물음에 답하시오.

We notice repetition among confusion, and the opposite: we notice a break in a repetitive pattern. But how do these arrangements make us feel? And what about "perfect" regularity and "perfect" chaos? Some ₃ repetition gives us a sense of security, in that we know what is coming next. We like some predictability. (a) <u>We arrange our lives in largely repetitive schedules.</u> With "perfect" chaos we are frustrated by having ₆ to adapt and react again and again. But "perfect" regularity is perhaps even more horrifying in its monotony than randomness is. It implies a cold, unfeeling, mechanical quality. Such perfect order does not exist in ₉ nature; (b) 대항하여 작용하는 힘들이 너무 많다. Either extreme, therefore, feels threatening. [고1 11월 응용]

⊘ VOCA

1 confusion 혼돈
2 arrangement 배열
3 chaos 무질서
5 predictability 예측 가능성
6 frustrated 좌절감을 느끼는
7 adapt 적응하다
   react 대응하다
8 monotony 단조로움
   randomness 무작위
   imply 의미하다
9 mechanical 기계적인
10 extreme 극단
11 threatening 위협적인

학교시험 서술형
단골 문제 감 잡기

| 어법 파악 |
01 밑줄 친 (a)를 동사 arrange를 강조한 문장으로 바꾸어 쓰시오.

_____

| 어법+영작 |
02 밑줄 친 (b)와 같은 뜻이 되도록 주어진 단어들을 알맞은 순서로 배열하시오.

(there / forces / each other / against / are / too / many / working)

_____

| 내용 파악 |
03 According to the passage above, why does some repetition give us a sense of security? Answer in Korean.

_____

2 다음 글을 읽고, 물음에 답하시오.

✓ VOCA

1 essential 필수적인
invest 투자하다
5 room 여지
6 extent 정도
7 oppressive 억압적인
decade 시대
Industrial Revolution
산업혁명
10 precious 소중한
11 pub 술집

One of the most essential decisions any of us can make is how we invest our time. Of course, (a) how do we invest time is not our decision alone to make. (b) 많은 요인들이 우리가 해야 할 일들을 결정한다 either because ₃ we are members of the human race, or because we belong to a certain culture and society. Nevertheless, there is room for personal choice, and control over time is to a certain extent in our hands. Even in the ₆ most oppressive decades of the Industrial Revolution, (c) people didn't give up their free will when it came to time. During this period, people worked for more than eighty hours a week in factories. But there were ₉ some who spent their few precious free hours reading books or getting involved in politics instead of following the majority into the pubs.

[고1 6월]

학교시험 서술형
단골 문제 감 잡기

| 어법 파악 |

01 밑줄 친 (a)에서 어법상 틀린 부분을 찾아 바르게 고쳐 쓰고, 그 이유를 서술하시오.

_____

| 어법+영작 |

02 밑줄 친 (b)와 같은 뜻이 되도록 주어진 단어들을 사용하여 문장을 완성하시오.

(factors / determine / what / should)

_____

| 어법 파악 |

03 밑줄 친 (c)를 never을 포함한 문장으로 바꾸어 쓰시오.

_____

중학부터 수능까지 필수 어휘를
단계별로 마스터하는
바로 VOCA

예비중~중3   예비고~고1

중학 기본	중학 실력	중학 완성	고교 기본	수능 필수

중학 기본 800	반복 어휘 300	반복 어휘 300	반복 어휘 500	반복 어휘 1,000
	신출 어휘 900	신출 어휘 600	신출 어휘 1,000	신출 어휘 1,000
	누적 어휘 1,700	누적 어휘 2,300	누적 어휘 3,300	누적 어휘 4,300

바로 VOCA

- 최빈출 핵심 어휘는 단계별로 반복되도록 체계적으로 구성
- 교과서, 모의고사, 수능 기출문제에서 뽑은 실전 예문으로 구성
- QR코드로 연결되는 바로 듣기 앱
  (3가지 버전 표제어 MP3 파일 제공: 단어만/단어+뜻/단어+예문)
- 암기 테스트용 어휘 출제 프로그램 제공 (book.chunjae.co.kr)

특별부록
암기하기 편하다!
바로 확인하는
휴대용 암기카드

#차원이_다른_클라쓰
#강의전문교재
#고등교재

수학 교재

● **쉬운 개념서**
짤강수학   예비고~고3
수학(상), 수학(하), 수학Ⅰ, 수학Ⅱ, 확률과통계, 미적분

● **쉬운 입문서**
수학입문   예비고~고3
수학(상), 수학(하), 수학Ⅰ, 수학Ⅱ

● **수학 기본서**
수학의 힘 알파   고1~고3
수학(상), 수학(하), 수학Ⅰ, 수학Ⅱ, 확률과통계, 미적분

● **문제 유형서**
수학의 힘 베타   고1~고3
수학(상), 수학(하), 수학Ⅰ, 수학Ⅱ, 확률과통계, 미적분

● **4주 집중학습 기출문제집**
내신 꼭   고1~고3
고등수학, 수학Ⅰ, 수학Ⅱ

영어 교재

● **종합 기본서**
체크체크 고등영어   예비고~고1

● **고등 영어의 시작**
처음 만나는 수능 구문   예비고~고2
Starter, Basic

● **고등 영어의 시작**
처음 만나는 수능 어법   예비고~고2
Starter, Basic

● **필수 어휘 총 정리서**
바로 VOCA   예비고~고1
고교기본, 수능필수

정답과 해설
포인트 3가지

▶ 혼자서도 이해할 수 있는 친절한 문제 풀이

▶ 필수 어법 Point 중심 자세한 문제 분석

▶ 전 지문 문장구조 분석 및 직독직해 수록

Unit 01 주어 동사 수 일치

문법 확인   p. 6

동사 ❶ 동작   ❷ 뒤   ❸ 수   ❹ 시제
주어와 동사의 수 일치   ❺ 수 일치   ❻ 없는   ❼ 복수   ❽ 쌍
개념 마무리 OX   (1) ○   (2) ×   (3) ○

실전어법 개념확인   p. 7

Point ❶   단수, 현재분사 / 1 is   2 is
Point ❷   수식어구, 복수 / 3 influence   4 learn
Point ❸   명사절, 단수 / 5 is   6 has won
Point ❹   형용사, 복수 / 7 are   8 prefer

어법 REVIEW 1   문장 어법연습하기   pp. 8~9

A

1 impacts ▸ 의문사절 주어는 단수 취급

2 end ▸ 「부분 표현(분수 a third ($\frac{1}{3}$) to two-thirds ($\frac{2}{3}$))+of」
뒤에 복수 명사(all retail prices)가 왔으므로 복수 동사

3 was ▸ 동명사구 주어는 단수 취급

4 activate ▸ illustrate의 목적어 that절의 핵심 주어는
experiences이고 전치사구의 수식을 받고 있으므로 복수 동사

5 was ▸ the percentage of female respondents에서 핵심
주어는 the percentage이므로 단수 동사

6 gains ▸ the social structure of many communities에서
핵심 주어는 structure이므로 단수 동사

7 replaces ▸ 「each+단수 주어」는 단수 동사

B

1 is ▸ there 뒤에 이어지는 핵심 주어 fee가 단수이므로 is

2 is ▸ to부정사구 주어는 단수 취급

3 were ▸ 「부분 표현+of」 뒤의 plays and poetry가 복수이므로
복수 동사

4 is ▸ 동명사구 주어는 단수 취급

5 was ▸ 「each of+복수 명사」는 단수 취급하여 단수 동사

해석

A

e.g. 가치 있는 것을 만들어 내는 것은 여러 해 동안의 결실 없는 노동
을 필요로 한다.

1 한 사람이 하루에 어떻게 접근하는가는 그 사람의 삶의 다른 모든 것
에 영향을 끼친다.

2 조사들은 모든 소매가의 $\frac{1}{3}$에서 $\frac{2}{3}$ 정도가 지금은 9로 끝난다는 것
을 보여 준다.

3 타인에게 의존하지 않고 자신을 관리하는 능력을 갖는 것이 모든 사
람에게 요구되는 것으로 간주되었다.

4 이러한 발견들은 그저 신체적인 따뜻함의 접촉 경험으로도 대인관
계의 따뜻한 감정을 활성화시킨다는 것을 보여 준다.

5 건강 과학 발명 분야에서, 여성 응답자의 비율은 남성 응답자의 비율
보다 두 배만큼 높았다.

6 아프리카 부족들부터 스페인의 집시들까지, 많은 공동체들의 사회
적 구조는 춤이라는 집단적 행동으로부터 많은 결속을 얻는다.

7 공유된 각 1대의 차량이 약 10대의 개인 차량을 대체함에 따라, 교
통 체증과 대기 오염에 미치는 강한 영향을 토론토부터 뉴욕까지에
서 느낄 수 있다.

B

e.g. 노인들은 머리에 낡은 터번을 쓰고 있었다.

1 TV 설치를 원한다면, 50달러 추가 비용이 있다.

2 불편함에 대한 우리의 본능적인 싫어함을 이해하는 것이 중요하다.

3 몇몇 초기 연극과 시는 그리스인들에 의해 만들어졌다.

4 한 사람이 원하는 삶을 얻는 것은 간단하다.

5 연구에 참여한 각각의 동물원 침팬지와 오랑우탄은 방에서 개별적
으로 테스트되었다.

6 전 세계의 도시에서 행해진 연구들은 도시의 매력으로서의 생활과
활동의 중요성을 보여 준다.

7 촉감에 대한 요구가 큰 소비자들은 이런 기회를 제공하는 제품들을
좋아하는 경향이 있다.

A 1 (A) knows (B) seems   2 (A) work (B) are

B 3 ③   4 ②

C 1 (A) is (B) speak   2 (A) learns (B) are

D 3 ①   4 ③

A

1 모든 사람이 세상 물정에 매우 밝은데 학교에서는 부진한 어떤 젊은 이를 알고 있다. 우리는 삶에서 그렇게 많은 것에 대해 매우 똑똑한 사람이 그 똑똑함을 학업에 적용할 수 없는 것처럼 보이는 것을 낭비라고 생각한다.

▶ (A) everyone은 단수 취급하므로 knows가 적절하다.
(B) that절의 주어 부분은 one who is so intelligent about so many things in life이고, 여기서 핵심 주어는 one, 나머지는 one을 수식하는 관계대명사절이다. 따라서 단수 동사 seems가 적절하다.

2 일부는 아직 어린아이들인 수천만의 개발도상국 사람들이 그것들을 만들기 위해 흔히 노동 착취 공장이라고 이름 붙여진 종류의 공장에서 장시간 위험한 환경에서 일한다. 대부분의 의류 노동자들은 간신히 생존할 정도의 임금을 받는다.

▶ (A) '수천만의 개발도상국 사람들(tens of millions of people in developing countries)'에서 핵심 주어는 people이므로 복수 동사 work를 써야 한다.
(B) most 뒤에 셀 수 있는 명사가 오면 복수로 받고, 셀 수 없는 명사가 오면 단수로 받는다.

B

3 기존의 생각들은 과학자들이 설명할 수 없는 새로운 정보를 찾을 때 대체된다. 일단 누군가가 발견하면, 다른 사람들은 자신의 연구에서 그 정보를 사용하기 전에 그것을 주의 깊게 검토한다. 더 이전의 발견들에 새로운 지식을 쌓아가는 이러한 방법은 과학자들이 자신들의 실수를 바로잡는 것을 보장한다.

▶ ③ → ensures / 주어 부분(this way of building new knowledge on older discoveries)에서 핵심 주어는 this way이므로 단수 동사 ensures로 고쳐야 한다.

4 머릿속에 좋은 생각이 떠돌아다니게 하는 것은 그 좋은 생각이 실현되지 않게 하는 확실한 방법이다. 생명력을 얻는 유일한 좋은 생각은 필기해 놓은 것이라는 점을 아는 작가들로부터 조언을 얻어라. 종이 한 장을 꺼내 언젠가 하고 싶은 모든 것을 기록하라. ― 꿈이 100개에 이르는 것을 목표로 해라.

▶ ② → are / 명령문 뒤에 관계대명사절이 이어진다. know의 목적절인 that절에서 주어 부분은 the only good ideas that come to life이고, 핵심 주어는 관계대명사절 that come to life의 수식을 받는 ideas이므로 복수 동사가 와야 한다. 따라서 is를 are로 고쳐야 한다.

C

1 행동을 기반으로 사람들을 판단하는 것은 쉽다. 우리는 종종 말보다 행동에 더 많은 가치를 두도록 배우는데, 그것은 그럴만한 충분한 이유가 있다. 다른 사람들의 행동은 종종 그들이 하는 말보다 더 큰 목소리를 낸다.

▶ (A) to부정사구 주어는 단수 취급하므로 is가 적절하다.
(B) 주어는 the actions of others이므로 복수 동사 speak가 적절하다.

2 각각의 새끼 주머니고양이가 위험한 두꺼비를 피하는 방법을 배웠으므로, 개별 주머니고양이 각각의 생존 확률뿐만 아니라 전체 주머니고양이 종의 생존 확률이 향상되었다.

▶ (A) each는 단수 주어와 쓰이므로 단수 동사 learns가 적절하다.
(B) 주어 부분은 '전체 주머니고양이 종의 생존 확률(the chances of the survival of the whole quoll species)'이고 핵심 주어는 the chances이므로 복수 동사 are가 적절하다. 삽입된 부분은 부가 설명이므로 주어 동사 수 일치와는 무관하다.

D

3 사회들 사이의 차이점에 집중하는 것은 더 깊은 실체를 숨긴다. 만 피트 높이의 고원에 서서 두 개의 언덕을 유심히 본다고 상상해 보라. 여러분의 관점에서 보면, 한 언덕이 300피트 높이인 것처럼 보이고 다른 언덕이 900피트 높이인 것처럼 보인다.

▶ ① → conceals / 동명사구 주어는 단수 취급하므로 conceals로 고쳐야 한다.

4 배움의 많은 부분이 시행착오를 거쳐서 일어난다. 돈은 여러분이 평생 동안 다뤄야 할 어떤 것임을 여러분의 부모에게 설명해라. 삶에서 나중보다 이른 시기에 실수를 저지르는 것이 더 낫다. 여러분이 언젠가는 가정을 갖게 될 것이라는 것과, 자신의 돈을 관리하는 방법을 알 필요가 있다는 것을 설명해라. 모든 것을 다 학교에서 가르쳐 주는 것은 아니다!

▶ ③ → is / everything은 단수 취급하므로 is로 고쳐야 한다.

1 **01** allows / 계속적 용법의 관계대명사가 앞 문장 전체를 선행사로 할 때 단수 취급한다.   **02** most of the plastic particles in the ocean are so small   **03** is

2 **01** (a) are (b) were   **02** Today, the widespread use of computers, printers, and other equipment has added machine noise.   **03** many of our students want a quiet study environment

1. 구문분석 및 직독직해

❶ Plastic / is extremely slow to degrade / and tends to float, /
플라스틱은 매우 느리게 분해된다   그리고 물에 떠다니는 경향이 있다
주어   동사1   형용사⌣to부정사   동사2
┌ (= plastic)
which allows it to travel / in ocean currents / for thousands of
이는 허락한다 그것이 돌아다니게 한다 해류를 따라   수천 마일을
계속적 용법의 관계대명사   allow A to부정사(5형식): A가 ~하게 하다
miles.

❷ Most plastics break down / into smaller and smaller
대부분의 플라스틱은 분해된다   점점 더 작은 조각으로
most+복수 명사   복수 동사   비교급+and+비교급: 점점 더 ~한
┌ (they are)
pieces / when exposed to ultraviolet(UV) light, / forming
자외선에 노출될 때   형성하면서
시간의 부사절   수동태(be동사+p.p.)   분사구문
microplastics.
미세 플라스틱을

❸ These microplastics are very difficult to measure /
이러한 미세 플라스틱은 매우 어렵다　　　　　측정하기가
　　　　　　　　　　　　　　　형용사　↳ to부정사

once they are small enough / to pass through the nets /
일단 그것들이 충분히 작아지면　　그물망을 통과할 만큼
일단 ~하면　형용사+enough to부정사: ~하기에 충분히 …한
┌ (which are)　　　　　　　┌ (=microplastics)
[typically used to collect them].
일반적으로　그것들을 수거하는 데 사용되는
↳ 과거분사구 ~하는 데 사용되다〈수동〉
　　　　　┌ (= microplastics)
❹ Their impacts / on the marine environment and food
그것의 영향은　　해양 환경과 먹이 그물에 미치는
　　주어　　　　↳ 전치사구

webs / are still poorly understood.
아직도 빈약하게 이해되고 있다
　　　동사　　　　수동태

❺ These tiny particles / are known to be eaten / by various
이 작은 조각들은　　먹히는 것으로 알려져 있다　　다양한
　　　　　　　be known to:~으로 알려지다〈수동태〉 by+행위자
　　　　　　　┌ (are known)
animals / and to get into the food chain.
동물들에게　　먹이 사슬 속으로 들어간다고
　　　　병렬 구조

❻ Because / most of the plastic particles / in the ocean / are
왜냐하면 ~이기 때문에 대부분의 플라스틱 조각들은　바다 속에 있는
　　　　most of+복수 명사 → 주어　　↳ 전치사구　　복수 동사

so small, / there is no practical way / to clean up the ocean.
매우 작다　　실질적인 방법이 없다　바다를 청소할
　　　there is+단수 명사　to부정사의 형용사적 용법(앞의 명사 수식)

❼ One would have to filter / enormous amounts of water /
여과해야 할 수도 있다　　엄청난 양의 물을
부정대명사(일반인)

to collect a relatively small amount of plastic.
비교적 적은 양의 플라스틱을 수거하기 위해
to부정사의 부사적 용법(목적)

해석 플라스틱은 매우 느리게 분해되고 물에 떠다니는 경향이 있으며, 이로 인해 해류를 따라 수천 마일을 돌아다닌다. 대부분의 플라스틱은 자외선에 노출될 때 점점 더 작은 조각으로 분해되어 미세 플라스틱을 형성한다. 이러한 미세 플라스틱은 일단 그것들을 수거하는 데 일반적으로 사용되는 그물망을 통과할 만큼 충분히 작아지면 측정하기가 매우 어렵다. 미세 플라스틱이 해양 환경과 먹이 그물에 미치는 영향은 아직도 빈약하게 이해되고 있다. 이 작은 조각들은 다양한 동물들에게 먹혀 먹이 사슬 속으로 들어간다고 알려져 있다. 바다 속에 있는 대부분의 플라스틱 조각들은 매우 작기 때문에 바다를 청소할 실질적인 방법은 없다. 비교적 적은 양의 플라스틱을 수거하기 위해 엄청난 양의 물을 여과해야 할 수도 있다.

해설 **01** 계속적 용법의 관계대명사 which가 앞 문장 전체를 선행사로 받아, 앞 문장에 대해 추가 설명하고 있다. 이때, 관계대명사는 단수 취급하므로 단수 동사가 온다.

　　02 부분 표현 most of 뒤에 복수 명사 the plastic particles가 오고, 이어서 '바다 속에 있는'에 해당하는 전치사구 in the ocean이 와야 한다. 매우 작다'라는 뜻의 서술어 부분은 복수 주어에 맞춰 are so small로 쓴다.

　　03 유도부사 there 다음에 주어와 동사가 도치된 형태로, 주어는 '실질적인 방법(practical way)'이다. 따라서 be동사는 단수 형태 is로 쓴다.

2. 구문분석 및 직독직해

❶ Acoustic concerns / in school libraries / are much more
소리에 대한 염려는　학교 도서관에서　오늘날 훨씬 더
　복수 주어　↳ 전치사구 수식어　복수 동사 much+비교급 강조

important and complex today / than they were in the past.
중요하고 복잡하다　　　　　　과거에 그랬던 것보다
　　　　　　　　　　　　　　비교급

❷ Years ago, / before electronic resources were such a
오래 전　　전자 장비들이　아주 중요한 일부가 되기 전에는
과거의 때　시간의 부사절　주어　　　과거형

vital part / of the library environment, / we had only to deal
도서관 환경의　　　　　우리는 소음을 처리하기만 하면 되었다
　　　┌ (which was)　　　　　　　주절
with noise [produced by people].
사람들이 만들어 내는
↳ 과거분사구

❸ Today, / the widespread use / of computers, printers, and
오늘날에는 폭넓은 사용이　컴퓨터, 프린터 그리고
　　　　주어 ↳ 전치사구

other equipment / has added machine noise.
다른 장비들의　　기계 소음을 더했다
　　　　　　　　동사(현재완료)

❹ People noise has also increased, / because group work
사람들의 소음도 또한 증가했다　　집단 활동과 교사의 설명이

and instruction are essential parts / of the learning process.
필수적인 부분이기 때문에　　　　학습 과정의
주어　　　동사

❺ So, / the modern school library / is no longer the quiet
그래서 현대의 학교 도서관은　더 이상 조용한 구역이 아니다
　　　　　　　　　　　　　　더 이상 ~이 아니다

zone / it once was.
예전에 그랬던 것처럼
과거의 '언젠가'

❻ Yet / libraries must still provide quietness / for study and
그러나 도서관은 여전히 조용함을 제공해야 한다　공부와 독서를 위해
　　　　　　　　　　　　　　의무 조동사

reading, / because many of our students want / a quiet study
많은 우리 학생들은 원하기 때문에　　　　조용한 학습
　　　many of+복수 명사　　　복수 동사

environment.
환경을

❼ Considering this need / for library surroundings, / it is
이러한 요구를 고려해 볼 때　도서관 환경에 대한　　　　가주어
분사구문　　　　　　↳ 전치사구

important / to design spaces [where unwanted noise can be
중요하다　공간을 만드는 것이　원치 않는 소음이 제거되거나
　　　진주어(to부정사)(can be) 관계부사

eliminated / or at least kept to a minimum].
　　　적어도 최소한으로 유지될 수 있는
조동사의 수동태

해석 학교 도서관에서 소리에 대한 염려는 과거보다 오늘날 훨씬 더 중요하고 복잡하다. 오래 전, 전자 장비들이 도서관 환경의 아주 중요한 일부가 되기 전에는 사람들이 만들어 내는 소음을 처리하기만 하면 되었다. 오늘날에는, 컴퓨터, 프린터 그리고 다른 장비들의 폭넓은 사용이 기계 소음을 더했다. 집단 활동과 교사의 설명이 학습 과정의 필수적인 부분이기 때문에, 사람들의 소음도 또한 증가했다. 그래서 현대의 학교 도서관은 더는 예전처럼 조용한 구역이 아니다. 그러나 많은 우리 학생들은 조용한 학습 환경을 원하기 때문에 도서관은 공부와 독서를 위해 여전히 조용함을 제공해야 한다. 도서관 환경에 대한 이러한 요구를 고려해 볼 때, 원치 않는 소음이 제거되거나 적어도 최소한으로 유지될 수 있는 공간을 만드는 것이 중요하다.

01 (a) 핵심 주어 concerns의 수가 복수이고, today로 보아 현재시제가 와야 하므로 are로 쓴다.

(b) 부사구 years ago로 보아, 과거에 대한 진술이므로 과거시제가 와야 한다. 주어가 electronic resources이므로 복수형 were로 쓴다.

02 주어 부분은 '컴퓨터, 프린터 그리고 다른 장비들의 폭넓은 사용(the widespread use of computers, printers, and other equipment)'이고, 핵심 주어는 use이므로 단수 동사 has added로 고쳐야 한다.

03 「부분 표현＋of＋복수 명사」를 사용하여 many of our students를 주어로 쓰고 동사는 복수형 want로 쓴다.

Unit 02 동사의 시제

문법 확인 p. 14

동사의 시제 ❶ am ❷ will ❸ 현재완료 ❹ 막 ~했다
❺ had ❻ ~한 적이 있었다 ❼ was

개념마무리 OX (1) × (2) ○ (3) ×

실전어법 개념확인 p. 15

Point ❶ 사실, 반복적, 진리, 역사적, 의지, 현재시제, 형용사절 / **1** are

Point ❷ 미래 / **2** will be working

Point ❸ 현재, 먼저 / **3** had misspelled

Point ❹ 과거, 현재, ago, in, since, 기간 / **4** existed, have been preserved

어법 REVIEW 1 *문장* 어법연습하기 pp. 16~17

A

1 died ▶ 명백한 과거를 나타내는 표현 「in＋연도」

2 were laughing ▶ 앞 문장에 과거시제가 쓰인 것으로 보아, 과거진행

3 is ▶ 일반적인 사실을 나타내므로 현재시제

4 will continue ▶ 「명령문 ~, and ….」로 이어지는 미래시제

5 spend ▶ 부사 today와 tomorrow를 확인

6 had observed ▶ 발견한 시점까지 무지개를 관찰해 왔으므로 과거완료

7 have always been ▶ 종속절의 동사(feature)가 현재시제이고 과거의 일이 현재까지 영향을 미칠 때 현재완료

B

1 joined ▶ 명확한 과거의 때를 나타내는 ago가 있으므로 과거시제로 고침

2 had been practicing ▶ 과거시제 did로 보아, 현재완료진행은 불가, 과거완료진행으로 고침

3 discovered ▶ 과거 사실에 대한 진술이므로 과거시제로 고침

4 have asked ▶ '인류 역사의 시작부터'로 보아, 과거부터 현재까지 이어지고 있음을 나타내야 하므로 현재완료로 고침

5 lost ▶ 과거의 명확한 시점을 나타내는 '70세에'로 보아, 과거시제로 고침

6 threatens ▶ 주절의 시제가 현재이므로 when절과 시제 일치 필요. 현재시제로 고침

7 thought ▶ 현재완료는 「have/has+p.p.」형태로 씀

해석

A

e.g. 나의 가장 친한 친구들 모두와 나는 같은 고등학교에 가고 싶었지만, 다른 학교에 다니는 유일한 사람은 나뿐이었다.

1 그는 1923년 Chicago에서 심장병으로 사망했다.

2 그는 사람들을 바라보았다. 대회에 모인 청중들은 이제 그와 그의 무능함을 보며 큰 소리로 웃고 있었다.

3 우리는 결정의 질은 시간 그리고 노력과 직접적인 관계가 있다고 생각한다.

4 그저 오늘 카드를 다시 보내시면 월간지 *Winston Magazine*을 계속해서 받게 될 것입니다.

5 여러분이 오늘 더 활동적일수록, 오늘 더 많은 에너지를 소비하고 그러면 내일 소모할 더 많은 에너지를 갖게 될 것이다.

6 사람들은 태초 이래로 무지개를 관찰해 왔기 때문에, 이 발견은 새로운 것이 아니었다.

7 그러나 비록 그들이 오늘날 만들어진 이야기에서 중요한 역할을 한다 해도, 그들은 항상 인간 상상의 산물이었으며 결코 존재하지 않았다.

B

e.g. 1962년에 그는 연합통신사(AP)에 입사했고, 10년 뒤, 그는 *Time* 잡지사에서 프리랜서로 일하기 위해 연합통신사를 떠났다.

1 약 40억 년 전에 분자는 서로 결합하여 세포를 형성했다.

2 지난주 그녀는 정말 열심히 연습했지만 나아지지 않은 듯 보였다.

3 수세기 동안 사람들은 커피를 마셔왔지만, 바로 어디서 커피가 유래했는지 혹은 누가 그것을 처음 발견했는지는 분명하지 않다.

4 인류 역사의 시작부터, 사람들은 세상과 그 세상 속에 있는 그들의 장소에 관하여 질문해 왔다.

5 Cassatt은 70세에 시력을 잃었고, 슬프게도, 노년에는 그림을 그릴 수 없었다.

6 거짓말을 하는 사람들은 자신의 거짓말을 폭로하겠다고 누군가가 위협하면 곤경에 처하게 된다.

7 당신은 다른 누군가가 어떻게 느끼고 있는지를 알 수 있는 방법에 대해 생각해 본 적이 있는가?

어법 REVIEW 2 *짧은 지문* 어법연습하기 pp. 18~19

A **1** (A) talk (B) ask   **2** (A) had ever actually seen
(B) go (C) are

B **3** ③   **4** ①

C **1** (A) have (B) bought (C) is   **2** (A) will teach
(B) hopes (C) will get

D **3** ③   **4** ①

A

1 만약 당신이 불행한 사람들과 이야기하면서 그들에게 대부분의 시간에 무슨 생각을 하는지 물어본다면, 그들이 자신의 문제, 고지서, 부정적인 관계, 그리고 그들의 삶에서의 모든 어려움에 대해 생각한다는 것을 거의 틀림없이 발견할 것이다.
▶ (A) 조건의 부사절에서는 현재시제가 미래시제를 대신한다.
(B) If절의 동사가 등위접속사 and에 의해 병렬구조로 연결된 형태이므로 현재시제로 쓴다.

2 Amy는 할머니에게 그녀가 그림에서 천사들을 본 적이 있다고 말했다. 하지만 그녀는 또한 그녀의 할머니도 실제로 천사를 본 적이 있는지 알고 싶었다. 그녀의 할머니는 천사를 본 적이 있다고 하였으나 그림에서 본 것과는 다르다고 말했다. "그럼, 천사를 찾으러 가볼래요!" Amy가 말했다. "그거 좋네! 하지만 나는 너와 함께 가야겠어. 네가 너무 어리잖니."라고 할머니가 말했다.
▶ (A) 알고 싶은 것보다 천사를 '실제로 본 것'이 더 과거의 일이므로 대과거가 와야 한다.
(B) 미래를 나타내는 조동사 will 다음에 동사원형이 와야 한다.
(C) 일반적인 사실은 현재시제로 쓴다.

B

3 마침내 Shuan이 연설할 차례가 왔다. 그가 입을 열었을 때, 그의 목에서는 숨소리만 새어 나왔다. 곧이어 그는 다시 말을 하려고 했지만, 할 말이 떠오르지 않았다. 그는 시간에 대해 이야기하려고 준비해 왔고 "시간은…"이라는 단어로 말을 시작했다. 그러나 그 뒤로 아무 말도 이어지지 않았다.
▶ ③ → had prepared / 과거완료는 「had+p.p.」형태로 쓴다. 따라서 had prepared로 고쳐야 한다.

4 역사를 빠르게 살펴보면 인간은 오늘날 대부분의 발전된 세상에서 즐기는 음식의 풍부함을 항상 가졌던 것은 아니다. 사실, 역사적으로 음식이 꽤 부족했던 수많은 시기가 있었다. 그 결과, 사람들은 다음 번 식사의 가능성이 확실하지 않았기 때문에 음식이 있을 때 더 많이 먹곤 했다.
▶ ① → is enjoyed / 앞에 현재완료가 쓰였고, 뒤에 '오늘날 대부분의 발전된 세상'에서라는 표현으로 보아, 현재시제로 고쳐야 한다.

C

1 귀하는 불과 3주 전에 구입한 토스터가 작동하지 않는다고 저희 회사에 불평하는 편지를 쓰셨습니다. 귀하는 새 토스터나 환불을 요구하셨습니다. 그 토스터는 1년의 품질 보증 기간이 있기 때문에, 저희 회사는 귀하의 고장 난 토스터를 새 토스터로 기꺼이 교환해 드리겠습니다.
▶ (A) 과거에 일어난 일이 현재까지 영향을 미치고 있으므로 현재완료가 적절하다.
(B) '불과 3주 전에(only three weeks earlier)'라는 명백한 과거를 나타내는 표현으로 보아, 과거시제가 적절하다.
(C) 현재의 상황을 나타내고 있으므로 현재시제가 적절하다.

2 이번이 그녀의 코치로서의 첫 시작이고, 다음 주부터 근무를 시작합니다. 오후에 수업을 할 예정이며, 여름 프로그램도 계속할 예정입니다. 그녀는 수영의 건강상 이점을 증진시킴으로써 더 많은 학생들이 수업을 통해 건강해지기를 기대하고 있습니다.

▶ (A) 문맥상 앞으로의 일을 서술하고 있으므로 미래시제가 적절하다.
(B) 소망을 나타내는 동사 hope는 진행형으로 쓰지 않는다.
(C) hope의 목적어 역할을 하는 that절의 내용은 앞으로의 일이므로 미래시제가 적절하다.

D

3 인생의 거의 모든 것에는, 좋은 것에도 지나침이 있을 수 있다. 심지어 인생에서 최상의 것도 지나치면 그리 좋지 않다. 이 개념은 적어도 아리스토텔레스 시대만큼 오래전부터 논의되어 왔다. 그는 미덕이 있다는 것은 균형을 찾는 것을 의미한다고 주장했다.

▶ ③ → means / 격언은 현재시제로 써야 하므로 means로 고쳐야 한다.

4 만약 당신이 10층 건물 꼭대기에서 구슬이 떨어지는 데 시간이 얼마나 걸리는지 물리학자에게 묻는다면, 그는 진공 상태에서 구슬이 떨어지는 것을 가정하고 그 질문에 답할 것 같다.

▶ ① → ask / 조건의 부사절에서는 현재시제가 미래를 대신하므로 ask로 고쳐야 한다.

어법 REVIEW 3 *서술형내신* 어법연습하기 pp. 20~21

1 01 진실은 우리는 우리의 감정에 의해 주로 지배당한다는 것이다 **02** Yesterday they were in love with your idea; today they seem cold. / 명백한 과거를 나타내는 부사 yesterday가 있으므로 과거시제로 고쳐야 한다. **03** if you are not careful, you will waste valuable mental space

2 01 ⓐ is opened → was opened **02** will hang → hang / 조건의 if 부사절이 있고 주절에 미래시제가 쓰였다. 부사절에서는 현재시제가 미래를 대신한다. **03** Eco 카드를 걸어 두면 침대 시트, 베갯잇, 잠옷을 교체하지 않고, 컵을 씻을 필요가 없다면 그대로 둔다.

1. 구문분석 및 직독직해

❶ We like to make a show of [how much / our decisions /
우리는 보여 주고 싶지만   얼마나 많이   우리의 결정이
                          간접의문문: 의문사+주어+동사

are based on rational considerations], but the truth is [that
이성적 고려에 근거하는지   하지만 진실은 ~이다
                                      접속사(보어 역할)

we are largely governed / by our emotions], [which continually
우리는 주로 지배당하고 있다 우리의 감정에 의해   이것은 계속적으로
      수동태   「by+행위자」   계속적 용법의 관계대명사

influence / our perceptions].
영향을 준다 우리의 인지에

❷ [What this means] is [that the people around you, /
이것이 의미하는 것은 ~이다   여러분의 주변 사람들이
선행사를 포함하는 관계대명사 접속사(보어 역할)   주어

---

constantly under the pull of their emotions, / change their
끊임없이 그들 감정의 끌어당김 아래에 있는   그들의 생각을 바꾼다는 것
                                          동사

ideas / by the day or by the hour, / depending on their mood].
생각 날마다 혹은 시간마다   그들의 기분에 따라
                                   분사구문
                                   선행사를 포함하는 관계대명사

❸ You must never assume [that {what people say or do /
여러분은 가정해서는 안 된다   사람들이 말하거나 행동하는 것이
주어   동사   접속사(assume의 목적절)

in a particular moment} is a statement / of their permanent
특정한 순간에   진술이라고   그들의 영구적인 바람에 대한
주어 {   }   동사

desires].
바람

❹ Yesterday / they were in love with your idea; / today they
어제   그들은 여러분의 생각에 완전히 빠져 있었지만 오늘 그들은
                   be in love with: ~와 사랑에 빠지다

seem cold.
냉담해 보인다

❺ This will confuse you / and if you are not careful, / you
이것이 여러분을 혼란스럽게 할 것이다 그리고 만약 여러분이 조심하지 않는다면
                              조건의 부사절(현재시제)

will waste / valuable mental space / trying to figure out / their
여러분은 허비할 것이다 소중한 정신적 공간을 알아내려고 노력하는 데 그들의
주절(미래시제) waste A (in) -ing: ~하는 데 A를 낭비하다   목적어1

real feelings, / their mood of the moment, / and their fleeting
실제 감정   그 순간 그들의 기분   그들의 빠르게 지나가는
             목적어2   병렬구조 목적어3

motivations.
열의를

❻ It is best to cultivate / both distance and a degree of
기르는 것이 최선이다   거리감과 어느 정도의 분리감을
가주어   진주어(to부정사) both A and B: A, B 둘 다

detachment / from their shifting emotions / so that you are
그들의 변화하는 감정들로부터   여러분이 사로잡히지
                                       목적

not caught up / in the process.
않도록 하기 위해서는 그 과정에
수동태

해석 우리는 우리의 결정이 얼마나 많이 이성적 고려에 근거하는지 보여 주고 싶지만, 진실은 우리는 우리의 감정에 의해 주로 지배당하고 있고, 이것은 계속적으로 우리의 인지에 영향을 준다. 이것이 의미하는 것은 끊임없이 그들 감정의 끌어당김 아래에 있는 여러분의 주변 사람들이 날마다 혹은 시간마다 그들의 기분에 따라 그들의 생각을 바꾼다는 것이다. 여러분은 사람들이 특정한 순간에 말하거나 행동하는 것이 그들의 영구적인 바람에 대한 진술이라고 가정해서는 안 된다. 어제 그들은 여러분의 생각에 완전히 빠져 있었지만, 오늘 그들은 냉담해 보인다. 이것이 여러분을 혼란스럽게 할 것이고, 만약 여러분이 조심하지 않는다면, 여러분은 그들의 실제 감정, 그 순간 그들의 기분, 그들의 빠르게 지나가는 열의를 알아내려고 노력하는 데 소중한 정신적 공간을 허비할 것이다. 여러분이 그 과정에 사로잡히지 않도록 하기 위해서는 그들의 변화하는 감정들로부터 거리감과 어느 정도의 분리감을 기르는 것이 최선이다.

해설 **01** 접속사 that이 이끄는 명사절이 문장의 보어로 쓰였다.
02 명백한 과거를 나타내는 부사(구)는 현재완료와 함께 쓸 수 없다.
03 조건의 부사절에서는 현재시제가 미래시제를 대신한다.

2. 구문분석 및 직독직해

❶ Dear Guests,
친애하는 고객 분들께

❷ Thank you / for staying with us.
감사합니다　우리 호텔에 머물러 주셔서
　　　　　　　　전치사+동명사

❸ Since our hotel was opened / in 1976, / we have been
호텔을 개업한 이래로　　　　　1976년에　우리는 헌신해 왔습니다
　　　　　수동태 과거　　　　　　　　　　수동태 현재완료

committed / to protecting our planet / by reducing our energy
　　　　우리 지구를 보호하는 것에　　줄임으로써　　에너지
be committed to: ~에 헌신하다　　　　　by+-ing: ~함으로써

consumption and waste.
소비와 낭비를

❹ In an effort to save the planet, / we have adopted / a new
지구를 보호하려는 노력으로　　　　우리는 채택했고　　　새로운
　　　　　　　　　　　　　　　　현재완료

policy / and we need your help.
정책을　여러분의 도움을 필요로 합니다

❺ If you hang the Eco-card / at the door, / we will not
만약 여러분이 Eco 카드를 문에 걸어두시면　　교체하지 않을 것입니다
조건의 부사절: 현재시제가 미래를 대신　　주절: 미래시제

change / your sheets, pillow cases, and pajamas.
　　　여러분의 침대 시트와 베갯잇 그리고 잠옷을

❻ In addition, / we will leave the cups untouched / unless
또한　　　　우리는 컵을 그대로 둘 것입니다　　　　　　조건의 부사절
　　　　　주절: 미래시제

they need to be cleaned.
컵이 씻길 필요가 없다면
　　　　　　수동태

❼ In return for your cooperation, / we will make a
여러분의 협조에 대한 보답으로　　　우리는 기부할 것입니다

contribution / on your behalf / to the National Forest
　　　　　여러분을 대신하여　National Forest
　　　　　on one's behalf: ~을 대신하여

Restoration Project.
Restoration Project에

❽ We appreciate your cooperation / on our eco-friendly
여러분의 협조에 감사드립니다　　　우리의 친환경 정책에 대한

policy.

❾ Sincerely,
　　Steven Smith 드림

Steven Smith

해석 친애하는 고객 분들께,

　우리 호텔에 머물러 주셔서 감사합니다. 1976년에 호텔을 개업한 이래로 우리는 에너지 소비와 낭비를 줄임으로써 우리 지구를 보호하는 것에 헌신해 왔습니다. 지구를 보호하려는 노력으로, 우리는 새로운 정책을 채택했고, 여러분의 도움을 필요로 합니다. 만약 여러분이 문에 Eco 카드를 걸어두시면, 우리는 여러분의 침대 시트와 베갯잇 그리고 잠옷을 교체하지 않을 것입니다. 또한, 컵을 씻을 필요가 없다면, 우리는 컵을 그대로 둘 것입니다. 여러분의 협조에 대한 보답으로, 우리는 여러분을 대신하여 National Forest Restoration Project에 기부할 것입니다. 우리의 친환경 정책에 대한 여러분의 협조에 감사드립니다.

　Steven Smith 드림

해설 **01** 호텔이 1976년에 개업한 것이므로 과거시제로 써야 한다. 따라서 수동태 과거인 was opened로 고쳐 쓴다.

　　　02 조건의 부사절이 쓰인 것에 유의한다.

　　　03 밑줄 친 부분은 '우리의 친환경 정책'이라는 뜻으로, 5행~8행의 내용을 요약하여 쓴다.

Unit 03 조동사

문법 확인　　　　　　　　　　　　p. 22

문법적 기능을 도와주는 be, have, do　❶ 변화　❷ be
❸ p.p.　❹ 완료시제　❺ 반복
본동사의 의미를 더하는 조동사　❻ 같다　❼ 동사원형
❽ may　❾ have to　❿ should　⓫ be going to
개념 마무리 OX　(1) ○　(2) ○　(3) ×

실전어법 개념확인　　　　　　　　p. 23

Point ❶　can, ought to, must, might / 1 can, can't
　　　　　2 must
Point ❷　과거의 습관, used to, 동명사 / 3 would
Point ❸　should have p.p., ~했을지도 모른다, / 4 have
　　　　　been
Point ❹　should, 생략, insist, suggest / 5 join

어법 REVIEW 1 문장 어법연습하기　　pp. 24~25

A

1 cannot ▶ '행복은 가게에서 살 수 없다'라는 의미가 되어야 자연스러우므로 불가능의 cannot

2 prepare ▶ 조동사 뒤에는 동사원형

3 may ▶ '~했을지도 모른다'라는 뜻의 과거 사실에 대한 약한 추측은 may have p.p.

4 reduce ▶ 조동사 뒤에는 동사원형

5 have to ▶ 문맥상 '~해야 한다'라는 뜻의 의무를 나타내는 have to

6 doesn't have to ▶ '의류가 비쌀 필요는 없다'라는 의미가 되어야 자연스러우므로 doesn't have to

7 help ▶ 조동사 뒤에는 동사원형

B

1 have to learn ▶ 의무를 나타내는 조동사 have to 뒤에는 동사원형

2 should have said ▶ '~했어야 한다'라는 뜻으로 과거 사실에 대한 유감, 후회를 나타내는 should have p.p.

3 cannot ▶ '댐에 의해 막히면, 연어 수명 주기가 완성될 수 없다'라는 의미가 되어야 자연스러우므로 불가능의 cannot

해석

A

e.g. Hike the Valley는 하이킹 프로그램입니다. 참가자는 10세 혹은 그 이상이어야 합니다.

1 당신은 행복을 경작해야 한다; 당신은 그것을 가게에서 살 수 없다.

2 요리 콘테스트에 오신 것을 환영합니다! 참가자는 미리 요리를 준비하고 이벤트에 가져와야 합니다.

3 그 제품이 존재하는지 알지 못하면, 제품이 효과가 있더라도 고객은 구매하지 않을 것이다.

4 떠오르기 위해서 물고기는 전체 밀도를 줄여야 하며 대부분의 물고기는 부레를 이용하여 이를 수행한다.

5 가격이 떨어지더라도 투자를 급히 포기해야 하는 것은 아니다.

6 운동하는 동안 편안함을 제공하기 위해 의류가 비쌀 필요는 없다.

7 200달러부터 시작하는 이 화장실은 저렴하며 평균 소비자가 연간 수백 갤런의 물을 절약하는 데 도움이 될 수 있다.

B

e.g. 내가 더 배우고 싶다고 말했을 때, 그들은 함께 그린란드 국립 박물관에 가자고 제안했다.

1 테니스의 즐거움을 경험하기 위해, 당신은 테니스를 치는 방법을 배우고, 스스로 연습해야 한다.

2 너는 나를 한 시간 동안 기다리게 했다. 그때 적어도 너는 미안하다고 말했어야 했다.

3 댐의 최악의 영향은 알을 낳기 위해 상류로 이동해야 하는 연어에게 관찰되었다. 댐에 의해 막히면, 연어 수명 주기가 완료될 수 없다.

4 Cassatt은 70세에 시력을 잃었고, 슬프게도, 노년에는 그림을 그릴 수 없었다.

5 우리는 스포츠 경기의 결과를 예측할 수 없고, 이것은 매주 달라진다. 따라서 스포츠 마케팅 담당자는 순전히 승리에만 기반한 마케팅 전략을 피해야 한다.

6 그들은 부모가 컴퓨터 대신 독서, 운동, 놀이를 통한 전통적인 방식으로 자녀를 자극해야 한다고 주장한다.

7 벌을 지나치게 두려워하는 사람들을 제외한 거의 모든 사람들은 이윤을 내고 즐기며 벌을 기를 수 있다.

어법 REVIEW 2 짧은 지문 어법연습하기 pp. 26~27

A

1 주저함을 버리고 당신이 음악적으로 재능이 있는지 혹은 노래를 할 수 있고 악기를 연주할 수 있는지에 대한 걱정들을 모두 잊어라.
   ▸ (A) 명령문의 동사가 and에 의해 연결된 병렬구조이다.
   (B) '음악적으로 재능이 있는지' 혹은 '노래를 할 수 있는지'로 이어지는 것이 자연스러우므로 가능의 조동사 can이 적절하다.
   (C) can sing or play로, 「조동사+동사원형」이 병렬구조를 이루고 있다.

2 여러분의 몸이 배터리이고, 이 배터리가 더 많은 에너지를 저장할수록, 하루 안에 더 많은 에너지를 가질 수 있다고 상상해 보라. 매일 밤 여러분이 잠잘 때, 이 배터리는 그 전날 동안 여러분이 소비했던 에너지만큼 재충전된다.
   ▸ (A) 「the 비교급 ~, the 비교급 …」 구문이다.
   (B) 조동사는 두 개가 나란히 올 수 없으므로 will과 can을 함께 쓰려면 will be able to로 쓴다.

B

1 광고는 선전하는 회사나 서비스의 부정적인 측면을 숨기거나 약화시킨다. 이런 식으로, 광고는 유사한 제품과 유리하게 비교하여 홍보하거나 경쟁 제품과 차별화할 수 있다. 마찬가지로 지도는 혼란스러울 수 있는 세부 사항을 제거해야 한다.
   ▸ ② → must remove / 지도의 요건에 대한 설명으로, 강한 추측을 나타내는 must have p.p.가 쓰인 것은 어색하다. 의무를 나타내는 「must+동사원형」 형태인 must remove로 고쳐야 한다.

2 당신의 부모는 당신이 용돈을 현명하게 사용하지 못할까 두려워할지 모른다. 어리석은 지출을 선택할 수도 있지만, 그렇게 한다면 그렇게 하기로 한 결정은 여러분 자신의 것이며 바라건대 실수로부터 배우게 될 것이다. 많은 학습은 시행착오를 통해 발생한다.
   ▸ ③ → will learn / 문맥상 '실수로부터 배울 것이다'라는 의미가 되어야 하므로 will learn으로 고쳐야 한다.

C

1 현재, 우리는 인간을 다른 행성으로 보낼 수 없다. 한 가지 장애물은 그러한 여행이 수년이 걸릴 것이라는 점이다. 우주선은 긴 여행에서 생존에 필요한 충분한 공기, 물, 그리고 다른 물자를 운반할 필요가 있을 것이다.
   ▸ (A) 문맥상 '인간을 다른 행성으로 보낼 수 없다'라는 의미가 되어야 하므로 불가능을 나타내는 cannot이 적절하다.
   (B) 추측의 would가 적절하다. 조동사 뒤에 need to가 이어지므로 문맥상 의무의 must는 어색하다.

2 침착함을 유지하라고 말하는 것은 쉽지만, 어떻게 침착함을 유지하는가? 기억해야 할 점은 때로는 논쟁에서 다른 사람은 여러분을 화나게 하려고 노력한다는 것이다. 그들은 여러분을 짜증나게 하기 위해 고의적으로 꾸민 말을 하고 있을지도 모른다.
   ▸ (A) '침착함을 유지하라고 말하는 것은 쉽다'라는 의미이므로 당위의 should가 적절하다.
   (B) 현재시제로 쓰인 글이며, 앞 문장에 이어서 현재 상황에 대한

추측을 나타내는 「may+동사원형」이 적절하다.

D

3 글에서는 독자에게 제스처를 사용하거나 표정을 짓거나 물건을 제시할 수 없기 때문에 말하기와 보여주기 둘 다를 하기 위해서 단어에 의존해야 한다. 말하는 것보다 더 많이 보여 주어라. 독자가 볼 수 있도록 단어를 사용하라.

▶ ② → must rely on / 글을 쓸 때 단어에 의존해야 한다는 내용의 글이므로, 과거 사실에 대한 추측을 나타내는 must have p.p.는 적절하지 않다. 따라서 의무를 나타내는 「must+동사원형」 형태인 must rely on으로 고쳐야 한다.

4 수력 발전은 깨끗하고 재생 가능한 전원이다. 그러나 댐에 대해 중요하게 알아야 할 몇 가지 사항이 있다. 수력 발전 댐을 건설하려면, 댐 뒤에 넓은 지역이 침수되어야 한다. 때때로 전체 지역 사회를 다른 곳으로 옮겨야 한다. 숲 전체가 잠길 수도 있다.

▶ 문맥상 숲 전체가 잠길 수도 있다는 내용이므로, can't가 아니라 can이 되어야 한다. 따라서 can be drowned로 고쳐야 한다.

어법 REVIEW 3 │ 서술형내신 어법연습하기 pp. 28~29

1 ❶1 couldn't (could not) ❶2 The school will begin after the cotton-picking season. ❶3 excited

2 ❶1 (a) may / '~일지도 모른다'라는 뜻의 추측을 나타내는 조동사가 적절하다. (c) have to / '시험에서 답을 생각해 내야 할 때'라는 의미가 되어야 하므로 의무의 have to가 적절하다.
❶2 familiar ❶3 친숙함은 종종 선다형 시험에서 오류로 이어질 수 있다

1. 구문분석 및 직독직해

❶ On the walk back to their farm, / she wondered [why white
걸어서 농장으로 돌아가는 길에 　　　　 그녀는 의아해했다 　 왜 백인들은
　　　　　　　　　　　　　　　　　 의문사절1(의문사+주어+동사)

people had all kinds of nice things / and [why, (above all,) they
온갖 종류의 좋은 것들을 가지고 있는지 　그리고 왜 　무엇보다도 　 그들은
주어 　　 동사 　　　　　　　　　　 의문사절 2 (삽입절) 　주어

could read / while black people couldn't∧].
읽을 줄 아는데 / 흑인들은 읽을 줄 모르는지
동사 　 　접속사(양보) 　　　　　 (read)

❷ She decided / to learn to read.
그녀는 결심했다 　읽는 법을 배우기로
명사적 용법의 to부정사(목적어 역할)　사역동사 let+목적어+목적격보어(동사원형)

❸ At home / the little girl asked her father / to let her go to
집에서 　 그 어린 소녀는 아버지에게 요청했다 　 학교에 다니게 해 달라고
　　　　　　　　　　　　　　　　　 ask+목적어+목적격보어(to부정사)

school, / but he told her calmly, / "There isn't any school."
　　　 그러나 그는 그녀에게 조용히 말했다 　"학교가 없단다"라고
　　　　　　　　　　　　　　　　 유도부사 there+동사+주어

❹ One day, / however, / a black woman in city clothes /
어느 날 　 그런데 　 도시 사람들의 옷차림을 한 흑인 여성이
(과거) 　　　　　　　　　　　　　　　　~한 옷을 입은

changed that.
그것을 바꾸어 놓았다
　　　　　　　　　　　　　　　접속사 that(explaining의 목적절)

❺ Emma Wilson came to the McLeod cabin, / explaining [that
Emma Wilson은 McLeod 가족의 오두막에 왔다 　 설명하면서
과거시제 　　　　　　　　　　　　　　　　 분사구문

she would open a new school / in Mayesville / for black
자신이 새 학교를 열 것이라고 　　　 Mayesville에 　 흑인 아이들을 위한
　 시제일치

children].

❻ "The school will begin / after the cotton-picking season," /
학교는 시작될 것입니다 　 　 목화를 따는 시기가 끝난 후에

she said.
그녀는 말했다

❼ Mary's parents nodded / in agreement.
Mary의 부모님은 고개를 끄덕였다 동의하며

❽ Mrs. McLeod also nodded / toward her daughter.
McLeod 부인은 또한 고개를 끄덕였다 　딸을 향해서도

❾ Young Mary was very excited.
어린 Mary는 매우 신이 났다
　　　　　　　　　 과거분사(신이 난)

❿ "I am going to read? / Miss Wilson?"
제가 읽게 될 거라고요? 　 Wilson 선생님?
be going to: ~할 것이다 (미래)

⓫ She smiled at Mary.
그녀가 Mary를 향해 미소를 지었다.

해석 걸어서 농장으로 돌아가는 길에 Mary는 왜 백인들은 온갖 종류의 좋은 것들을 가지고 있으며, 무엇보다도, 왜 그들은 읽을 줄 아는데 흑인들은 읽을 줄 모르는지 의아해했다. 그녀는 읽는 법을 배우기로 결심했다. 집에서 그 어린 소녀는 아버지에게 학교에 다니게 해 달라고 요청했지만, 그는 그녀에게 "학교가 없단다."라고 조용히 말했다. 그런데 어느 날, 도시 사람들의 옷차림을 한 흑인 여성이 그것을 바꿔놓았다. Emma Wilson은 McLeod 가족의 오두막에 와서 자신이 흑인 아이들을 위한 새 학교를 Mayesville에 열 것이라고 설명했다. "학교는 목화를 따는 시기가 끝난 후에 시작될 것입니다."라고 그녀는 말했다. Mary의 부모님은 동의하며 고개를 끄덕였다. McLeod 부인은 또한 딸을 향해서도 고개를 끄덕였다. 어린 Mary는 매우 신이 났다. "제가 읽게 될 거라고요? Wilson 선생님?" 그녀가 Mary를 향해 미소를 지었다.

해설 ❶1 주절에 they(white people) could read가 있고, while로 대조되는 내용이 와야 하므로 과거시제 couldn't 또는 could not으로 쓴다.
❶2 미래를 나타내므로 조동사 will을 사용하여 「will+동사원형」 형태로 쓰는 것에 유의한다.
❶3 흑인 아이들을 위한 새 학교가 생긴다는 소식에 Mary가 '신이 난' 상태임을 유추할 수 있다. 사람의 감정을 표현하는 과거분사형 excited로 쓴다.

2. 구문분석 및 직독직해

❶ One of the main reasons [that students may think∧{they
주된 이유 중 하나는 　　　　　　　 학생들이 생각하는
주어 　　　　　　　 └ = 동격 ┘ 　　　 (접속사 that 생략)
　　　　　　　　　　　　　　　　┌ (know the material)
know the material, / even when they don't∨}], / is [that they
자료를 알고 있다고 생각하는 　 알지 못할 때조차도 　　 ~이다
　　　　　　　　　　　　　　　　　　 동사 접속사(보어 역할)

mistake familiarity for understanding].
그들이 친숙함을 이해함으로 착각하기 때문이다
mistake A for B: A를 B로 오인하다

❷ Here is / how it works: / You read the chapter once, /
여기 있다 　그것이 작동하는 방식이 　당신은 그 장을 한 번 읽는다
　　　　　 보어(의문사절)

perhaps highlighting / as you go.
아마도 눈에 띄게 표시하면서 당신은 읽으면서
　 분사구문 　　　 시간의 접속사

❸ Then later, / you read the chapter again, / perhaps
그러고 나서 나중에 그 장을 다시 읽는다　　　　　아마도

focusing / on the highlighted material.
집중하면서　　　눈에 띄게 표시된 자료에
분사구문　　　　과거분사(수동) ↘

❹ As you read it over, / the material is familiar / because you
그것을 거듭 읽을수록　　　그 자료는 친숙하다　　　당신은 그것을
접속사 (종속절)　　　　　　주절

remember it / from before, / and this familiarity might lead /
기억하기 때문에　이전에 읽은 것으로부터 그리고 이러한 친숙함은 이끌지도 모른다
　　　　　　　　　　　　　　　　　　　　추측의 might+동사원형

you / to think, / "Okay, I know that."
당신이 생각하도록　좋아, 그것을 알겠어
lead A to부정사: A가 ~하도록 이끌다

❺ The problem is [that this feeling of familiarity is not
문제는 ~이다　　　　이런 친숙한 느낌이
주어　　　동사 보어절　（보어절 내) 주어　　　　　동사1

necessarily equivalent / to knowing the material / and may be /
반드시 ~와 같지 않다　　자료를 아는 것 그리고 아무런 도움이 되지 않을 수도 있다
　　　　be equivalent to+(동)명사: ~와 같다　　　　　동사2

of no help / when you have to come up with an answer / on
답을 생각해 내야 할 때
(보어절 내) 종속절　come up with an answer: 답을 생각해 내다

the exam].
시험에서

❻ In fact, / familiarity can often lead to errors / on
사실　　친숙함은 종종 오류를 일으킬 수 있다
　　　　　　　　　　　　　　　　　주격 관계대명사 ┐

multiple-choice exams / because you might pick / a choice [that
선다형 시험에서　　　　당신이 선택할 수 있기 때문에　선택지를
　　　　　　　　　　　　　　　　　　　　　　　선행사

looks familiar], only to find later [that it was something ∨{you
익숙해 보이는　　결국 나중에서야 발견하게 된다 그것은 어떤 것이었다는 것을 ┌(that)
　　　　　　　　to부정사(결과)　　접속사(find의 목적절1) 선행사1

had read}, but it wasn't really the best answer / to the
당신이 읽었던 하지만 사실 가장 좋은 해답은 아니었다　　그 질문에 대한
　　　　　but으로 연결된 find의 목적절2 (병렬구조)

question].

해석 학생들이 자료를 알지 못할 때조차도, 알고 있다고 생각하는 주된 이유 중 하나는 친숙함을 이해함으로 착각하기 때문이다. 작동하는 방식은 이러하다: 당신은 읽으면서 아마도 중요한 것에 눈에 띄게 표시하면서, 그 장을 한 번 읽는다. 그러고 나서 나중에, 아마도 눈에 띄게 표시된 자료에 집중하면서, 그 장을 다시 읽는다. 그것을 거듭 읽을수록, 이전에 읽은 것으로부터 그것을 기억하기 때문에 그 자료는 친숙하고, 이러한 친숙함은 "좋아, 그것을 알겠어."라고 생각하게 이끌지도 모른다. 문제는 이런 친숙한 느낌이 반드시 자료를 아는 것과 같지 않으며, 시험에서 답을 생각해 내야 할 때, 아무런 도움이 되지 않을 수도 있다는 점이다. 사실, 익숙해 보이는 선택지를 선택할 수 있기 때문에 친숙함은 종종 선다형 시험에서 오류를 일으킬 수 있는데, 결국 당신이 읽었던 것이지만 사실 그 질문에 대한 가장 좋은 해답은 아니었다는 것을 나중에서야 발견하게 되는 것이다.

해설 01 (a) 당위의 should는 의미상 어색하다.(c) be able to는 can의 의미로, '~할 수 있다'라는 뜻이다.

　　02 문맥상 '거듭 읽을수록 이전에 읽은 것으로부터 그것을 기억하기 때문에 그 자료는 친숙하다'라는 의미가 되어야 한다. be동사 뒤에 보어가 필요하므로 '친숙한'이라는 뜻의 형용사 familiar로 쓴다.

　　03 can은 가능을 나타내는 조동사이다. lead to는 '~으로 이어지다'라는 뜻이다.

Unit 04 가정법

문법 확인　　　　　　　　　　　　　　　p. 30

가정법이란?　❶ 가정법　❷ 가정　❸ 직설법

가정법 과거/가정법 과거완료　❹ 과거완료　❺ 현재

❻ 과거형　❼ had p.p.

조건문 vs. 가정법　❽ 조건문　❾ 현재형　❿ 과거형

개념 마무리 OX　(1) ×　(2) ○　(3) ○

실전어법 개념확인　　　　　　　　　　　p. 31

Point ❶　현재, were, would, without / 1 lived

Point ❷　과거, had p.p., have p.p. / 2 had

Point ❸　불가능, 과거형 / 3 would

Point ❹　앞선 / 4 did

어법 REVIEW 1 문장 어법연습하기　　　p. 32

A

1 stop ▶ 가정법 과거

2 were ▶ I wish+가정법 과거(주어가 3인칭)

3 might ▶ 가정법 과거

4 were ▶ 가정법 과거(주절이 앞에 옴)

5 would have been ▶ 가정법 과거 완료

6 were ▶ 가정법 과거

7 were ▶ as if+가정법 과거

해석
A

e.g. 그 그림을 여러 번 베낀다면, 매번 여러분의 그림이 조금 더 나아지고, 조금 더 정밀해질 거라는 것을 알게 될 것이다.

1 당신이 복잡한 기계를 작동하는 방법을 휴대전화로 설명하려고 시도하고 있다면 걸음을 멈출 것이다.

2 작사가는 그의 마음이 스테레오이고 자신이 라디오였으면 한다.

3 여러분이 누군가에게 동네 가게에 가는 방법을 말해 주고 있다면, 만약 그 거리가 걸어서 5분 거리라면 그것을 '가까이'라고 말할 수도 있을 것이다.

4 게다가 사람들이 그런 식으로 행동한다면 경험은 망쳐질 것이다.

5 만약 건물을 빠져나오라는 결정이 내려지지 않았다면 그 팀 전체가 사망했을지도 모른다.

6 그들은 친구들에게 이야기할 때 사용할 법한 말과 다른 언어로 글을 쓴다.

7 가까이 다가가 올려다보니, 나는 마치 '걸리버 여행기'에 있는 거인의 나라에 있는 것처럼 느껴졌다.

어법 REVIEW 2 *짧은 지문* 어법연습하기   p. 33

A **1** have done   **2** would   **3** (A) lived (B) would not be   **4** had taken

A

1 사실 나는 바퀴를 교체하려고 했다. 온라인으로 새 것을 주문하는데 그렇게 오래 걸리지 않았다면 더 일찍 했을 것이다.
▶ 과거 사실에 대한 반대이므로 가정법 과거완료가 필요하다.

2 오히려, 그 결과에 이르도록 기여한 복잡한 일련들의 사건들이 있다. 만일 사건들 중에 어느 하나라도 발생하지 않았다면, 결과는 유사할 것이다.
▶ if절은 과거 사실에 대한 반대를 나타내는 가정법 과거완료(조동사 과거형+have p.p.), 주절은 현재 사실에 대한 반대를 나타내는 가정법 과거(조동사의 과거형+동사원형)의 혼합가정법 문장이다. 과거의 상황이 현재까지 영향을 미치고 있는 경우 사용한다.

3 우리가 만약 아무것도 변하지 않는 행성에서 산다면, 할 일이 거의 없을 것이다. 이해해야 할 것도 없을 것이고 과학에 대한 이유도 없을 것이다. 그리고 우리가 만약 현상들이 임의적이거나 매우 복잡한 방식으로 변하는 예측 불가능한 세상에서 산다면, 우리는 그 현상들을 이해할 수 없을 것이다.
▶ (A) 뒤에 이어지는 주절의 would be로 보아 가정법 문장이다. if절의 동사는 과거형이 온다.
  (B) 현재 사실에 대한 가정이므로 가정법 과거가 필요하다.

4 Ernest Hamwi가 1904년 세계 박람회에서 페르시아의 아주 얇은 와플 zalabia를 팔고 있었을 때, 그런 마음가짐을 가지고 있었더라면, 그는 노점상으로 생을 마감했을지도 모른다.
▶ 내용상 과거시제로 쓰인 문장이고, 과거 사실에 대한 반대의 가정을 하는 가정법 과거완료가 필요하다.

어법 REVIEW 3 *서술형내신* 어법연습하기   pp. 34~35

1 **01** (1) will → would (2) doesn't write   **02** letters
   03 그 수표가 동봉되었다면, 그들은 그렇게 빨리 답장을 보냈을까?

2 **01** will → would   **02** 마치 누군가가 지붕에 동전을 떨어뜨리는 것처럼 빗방울이 떨어졌다.   **03** She felt as though the thunderstorm was a present.

1. 구문분석 및 직독직해

❶ Andrew Carnegie, (the great early-twentieth-century
Andrew Carnegie가   20세기 초 대단한 경영인인
삽입
businessman,) once heard his sister complain / about her two
한 번은 들었다 자신의 누이가 불평하는 것을   두 아들에 대해
지각동사   O   OC(원형부정사)
sons.

❷ They were away / at college / and rarely responded / to
그들은 집을 떠나   대학을 다니면서   좀처럼 답장을 하지 않았다
부정의 부사: 좀처럼 ~않다
her letters.
그녀의 편지에
                                    ┌ 접속사
❸ Carnegie told her [that if he wrote them / he would get an
Carnegie는 그녀에게 말했다   자신이 그들에게 편지를 쓰면   즉각 답장을
가정법 과거: if+S+동사의 과거형, S+would+동사원형
immediate response].
받을 것이라고

❹ He sent off / two warm letters / to the boys, / and told
그는 보냈다   두 통의 훈훈한 편지를   그 아이들에게   그리고 말했다
3형식(S+send off+DO+전치사+IO)
them [that he was happy / to send each of them / a check for
그들에게   그는 기쁘다고   각각에게 보내게 되어   100달러짜리 수표를
간접화법   ↪ to부정사 4형식(send+IO+DO)
a hundred dollars / (a large sum in those days)].
                    (그 당시에는 큰 액수의 돈이었다)

❺ Then / he mailed the letters, / but didn't enclose the checks.
그때   그는 편지들을 부쳤지만   수표들을 동봉하지 않았다

❻ Within days / he received / warm grateful letters / from
며칠 이내에   그는 받았다   훈훈한 감사의 편지를   두 아이들로부터
                                                ┌ (Carnegie)
both boys, / who noted / at the letters' end [that he had
그들은 적었다   편지의 말미에   그가
관계대명사 계속적 용법   접속사(noted의 목적절)
unfortunately forgotten / to include the check].
유감스럽게도 잊었다고   수표를 넣는 것을
대과거   to부정사(목적어)
                    ┌ 수동태(be+p.p.)
❼ If the check / had been enclosed, / would they have
그 수표가   동봉되었다면,   그들은 답장을 보냈을까?
가정법 과거완료: If+S+had p.p., would+S+have p.p.~?
responded / so quickly?
그렇게 빨리

해석 20세기 초 대단한 경영인인 Andrew Carnegie가 언젠가 자신의 누이가 두 아들에 대해 불평하는 것을 들었다. 그들은 집을 떠나 대학을 다니면서 거의 그녀의 편지에 답장을 하지 않았다. Carnegie는 자신이 그들에게 편지를 쓰면 즉시 답장을 받을 것이라고 그녀에게 말했다. 그는 두 통의 훈훈한 편지를 그 아이들에게 보냈고, 그들 각각에게 (그 당시에는 큰 액수의 돈이었던) 100달러짜리 수표를 보내게 되어 기쁘다고 말했다. 그때 그는 편지들을 부쳤지만 수표들을 동봉하지 않았다. 며칠 이내에 그는 두 아이들로부터 훈훈한 감사의 편지를 받았고, 그들은 편지의 말미에 Carnegie가 유감스럽게도 수표를 넣는 것을 잊었다고 말했다. 만약 그 수표가 동봉되었다면, 그들은 그렇게 빨리 답장을 보냈을까?

해설 **01** (1) 가정법 과거를 써야 하므로, 조동사의 과거형인 would가 와야 한다.
   (2) 직설법: As+주어+do(es)n't+동사원형, 주어+조동사의 현재형+not+동사원형 …
   02 앞 문장에서 mailed the letters라고 했으므로, 두 아이들에게서 받은 것 역시 letters이다.
   03 과거 사실에 대한 반대를 상상하는 가정법 과거완료 문장이다. 주절이 의문문이므로 '~했다면 …했을까?'로 해석한다.

2. 구문분석 및 직독직해

❶ Garnet blew out the candles / and lay down.
　　Garnet은 촛불들을 불어서 끄고　　누웠다
　　　　　　　　동사1　　　　　　　　　동사2

❷ It was too hot / even for a sheet.
　　너무 더운 날이었다 심지어 홑이불 한 장조차
　　비인칭 주어

❸ She lay there, / sweating, / listening to the empty thunder
　　그녀는 그곳에 누워　땀 흘리며　공허한 천둥소리를 들으며
　　　　　　　　동사1　　분사구문1　　분사구문2　　　　　　　　선행사

[that brought no rain], and whispered, "I wish the drought
비를 가져오지 않는　　　　　라고 속삭였다　　"나는 이 가뭄이 끝났으면
관계대명사 주격　　　　　　동사2　　　　가정법(I wish+가정법 과거)

would end."
좋겠어."
　　　　　　　　　　　　　　　　　　　　　　　　　〈 〉주부 동사
❹ Late in the night, / Garnet had a feeling [that 〈something
　　그날 밤늦게,　　　　　Garnet은 기분이 들었다　　무언가가
　　　관계대명사 목적격(that)　　└ 동격의 that ┘　선행사
{she had been waiting for}〉 was about to happen].
　그녀가 기다려 온　　　　　　곧 일어날 것 같은
　　　과거완료 진행시제　　　　막 ~하려고 하다

❺ She lay quite still, / listening.
　　그녀는 가만히 누워 있었다 귀를 기울이며
　　　　　　　　　　　　　　분사구문

❻ The thunder rumbled again, / sounding much louder.
　　그 천둥은 다시 우르릉 울렸다　　더 큰 소리를 내면서
　　　　　　　　　　　　　　　　분사구문　비교급 강조

❼ And then slowly, / one by one, / as if someone were
　　그리고 나서 천천히,　하나하나씩,　마치 누군가가
　　　　　　　　　　　　　　　　as if 가정법 과거

dropping pennies on the roof, / came the raindrops.
지붕에 동전을 떨어뜨리는 것처럼　　빗방울이 떨어졌다
　　　　　　　　　　　　　　　　도치(동사+주어)

❽ Garnet held her breath / hopefully.
　　Garnet은 숨죽였다　　희망에 차서

❾ The sound paused.
　　그 소리가 잠시 멈췄다

❿ "Don't stop! Please!" / she whispered.
　　"멈추지 마!　제발!"　그녀는 속삭였다

⓫ Then the rain burst / strong and loud / upon the world.
　　그런 다음 그 비는 쏟아졌다 세차고 요란하게　세상에
　　　　　　　　자동사　　형용사1　형용사2

⓬ Garnet leaped out of bed / and ran to the window.
　　Garnet은 침대에서 벌떡 일어나　창문으로 달려갔다.
　　　　　　동사1　　　　　　　　　동사2

⓭ She shouted / with joy, / "It's raining hard!"
　　그녀는 소리쳤다　기쁨에 차서　"비가 쏟아진다!"

⓮ She felt / as though the thunderstorm was a present.
　　그녀는 느꼈다　마치 그 뇌우가 선물처럼
　　　　　　　　as though 가정법 과거

해설
01 I wish 가정법 구문으로, 「I wish (that)+주어+동사의 과거형」이 필요하다.

02 as if는 '마치 ~인 것처럼'의 의미로 뒤에 가정법 문장과 함께 쓰인다. came the raindrops는 주어와 동사가 도치된 구문이다.

03 as though는 가정법 문장과 함께 쓰여 '마치 ~인 것처럼'의 의미로 쓰인다. as if와 같은 의미이다.

해석 Garnet은 촛불들을 불어서 끄고 누웠다. 심지어 홑이불 한 장조차 너무 더운 날이었다. 그녀는 땀을 흘리면서 비를 가져오지 않는 공허한 천둥소리를 들으면서 그곳에 누워 있었고, "나는 이 가뭄이 끝났으면 좋겠어."라고 속삭였다. 그날 밤늦게, Garnet은 그녀가 기다려 온 무언가가 곧 일어날 것 같은 기분이 들었다. 그녀는 귀를 기울이며 가만히 누워 있었다. 그 천둥은 더 큰 소리를 내면서 다시 우르릉 울렸다. 그리고 나서 천천히, 하나하나씩, 마치 누군가가 지붕에 동전을 떨어뜨리는 것처럼 빗방울이 떨어졌다. Garnet은 희망에 차서 숨을 죽였다. 그 소리가 잠시 멈췄다. "멈추지 마! 제발!" 그녀는 속삭였다. 그런 다음 그 비는 세차고 요란하게 세상에 쏟아졌다. Garnet은 침대에서 벌떡 창문으로 달려갔다. 그녀는 기쁨에 차서 소리쳤다. "비가 쏟아진다!" 그녀는 그 뇌우가 선물처럼 느껴졌다.

Unit 05 태

문법 확인 p. 36

능동태 vs. 수동태 ❶ 행위자(주어) ❷ be동사+p.p.
❸ by+목적격 ❹ 생략
수동태의 다양한 형태 ❺ was/were+p.p.
❻ 조동사+be+p.p. ❼ to부정사
개념 마무리 OX (1) ✕ (2) ○ (3) ○

실전어법 개념확인 p. 37

Point ❶ 동작의 대상(목적어), by+행위자 / 1 are honored
2 are prohibited
Point ❷ 간접목적어, 전치사(to/for/of), 목적격보어, to부정사
/ 3 be given, be given 4 were made
Point ❸ was/were+being+p.p., have/has+been+p.p.
/ 5 being put 6 has been discussed
Point ❹ 자동사, of, to부정사(to+동사원형) / 7 appeared

어법 REVIEW 1 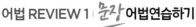 문장 어법연습하기 pp. 38~39

A
1 be chosen ▶ 수동태 미래는 「조동사 will+be+p.p.」
2 missed ▶ 주어와 동사가 수동 관계
3 to ▶ be related to는 '~와 관계가 있다'라는 뜻으로, by 이외의
전치사를 쓰는 수동태
4 be ▶ 조동사의 수동태는 「조동사+be+p.p.」
5 forced ▶ 주어와 동사가 능동 관계
6 practicing ▶ 주어와 동사가 능동 관계 / 과거완료진행 시제는
「had been+-ing」
7 become ▶ become은 '~이 되다'라는 뜻의 상태를 나타내는 타
동사로, 수동태로 쓸 수 없는 동사
B
1 (A) ○ (B) be held ▶ (A) 주어가 '초대받는' 것이므로 수동태 현
재가 바르게 쓰임 (B) 발표회가 '개최될' 것이므로 수동태 미래
2 (A) ○ (B) seem ▶ (A) 주어와 동사가 능동 관계이고, why 이하
의 절이 목적어이므로 능동태가 바르게 쓰임 (B) seem은 '~처럼
보이다'라는 뜻의 자동사로, 수동태로 쓸 수 없는 동사

3 were concerned about ▶ be concerned about은 '~에 대
해 걱정하다'라는 뜻으로, by 이외의 전치사를 쓰는 수동태
4 ○ ▶ 주어와 동사의 관계가 수동이고, 주절보다 앞선 시제를 나타
내므로 과거완료 수동태가 바르게 쓰임
5 (A) offer (B) were recorded ▶ (A) 목적어 clues(단서)가 있
는 능동태 문장으로, 조동사 can이 있으므로 동사원형 offer (B)
주어가 measurement(측량)로, 행위를 당하는 대상이므로 수
동태
6 should be made ▶ 주어가 registration(등록)으로, 행위를 당
하는 대상이므로 수동태 / 조동사의 수동태는 「조동사+be+p.p.」
7 will happen ▶ happen은 '일어나다'라는 뜻의 자동사로, 수동
태로 쓸 수 없는 동사

해석
A
e.g. 이런 약은 '항생 물질'이라고 불리며, 이는 '박테리아의 생명에 대
항하는 것'을 의미한다.

1 대상 수상자 한 명은 온라인 투표를 통해 선택될 것입니다.

2 그 회의는 걸러지거나 다른 시간으로 일정이 변경되는 일은 결코 없다.

3 우리는 결정의 질은 결정을 내리는 데 들어간 시간과 노력과 직접적
인 관계가 있다고 생각한다.

4 18세 미만의 모든 사람은 성인과 동반해야 합니다.

5 불행하게도, 자동차 사고 부상으로 그녀는 겨우 18개월 후에 일을
그만두어야 했다.

6 지난주 그녀는 정말 열심히 연습했지만 나아지지 않은 듯 보였다.

7 그것은 보통은 꽤 협동적인 종인 인간이 도로에서 그렇게 비협조적
이 될 수 있는 이유라고 주장할 수 있다.

B
e.g. 그들은 다른 사람들보다 우월하게 보이거나 느끼려고 애쓰는 데
관심이 없다.

1 당신은 4월 16일 우리 학교 강당에서 개최될 특별 발표회에 참석하
도록 초대되었습니다.

2 이것은 왜 미국인들을 만나는 것이 특히 쉬워 보이는지와 그들이 칵
테일 파티에서의 대화에 능숙한지를 설명할 수 있다.

3 소년의 부모는 그의 못된 성질을 걱정했다.

4 얼마 후 그 상처를 치료한 후, 가족들은 부엌 식탁에 둘러앉아 이야
기를 나누었다.

5 특히 매우 나이가 많은 나무는 관측이 기록되기 훨씬 이전에 기후가
어떠했는지에 대한 단서를 제공해 줄 수 있다.

6 등록은 프로그램 시작 최소 2일 전까지 해야 합니다.

7 여러분이 편안함을 느끼는 지대 밖으로 나가기 전까지는 결코 자신
에게 어떤 대단한 일이 일어날지 알 수 없다.

어법 REVIEW 2 : *짧은 지문* 어법연습하기 pp. 40~41

A 1 (A) observed (B) were solved   2 (A) be referred
    (B) be measured

B 3 ③   4 ②

C 1 (A) was born (B) take (C) been seen
   2 (A) received (B) been switched

D 3 ③   4 ①

A

1 한 실험에서, 실험 대상자들은 한 사람이 30개의 선다형 문제를 푸는 것을 관찰했다. 모든 경우에, 15개의 문제가 정확하게 해결되었다.
▸ (A) 주어가 관찰을 하는 주체이고, 목적어 a person이 있으므로 능동태가 적절하다.(5형식의 수동태)
(B) 주어가 '풀리는' 대상이므로 수동태가 적절하다.

2 '시간 밖에서 사는 사람들'이라고 언급될 수 있는 일부 문화가 있다. 브라질에 사는 Amondawa 부족에게는 측정되거나 셀 수 있는 시간이라는 개념이 없다.
▸ (A) 주어가 some cultures로, '언급될 수 있다'라는 의미가 되어야 하므로 수동태가 적절하다.
(B) 주어가 a concept of time으로, '측정될 수 있다'라는 의미가 되어야 하므로 수동태가 적절하다. 조동사의 수동태는 「조동사+be+p.p.」 형태로 쓴다.

B

3 Angela가 어렸을 때, 그녀는 그녀의 노력에도 불구하고 그녀의 성취에 항상 실망했었다. 그녀가 우울할 때마다, 그녀의 엄마는 열심히 노력하는 것과 절대 포기하지 않는 것이 더욱 중요하다고 말하며 그녀를 격려했다. 그녀의 엄마의 격려 덕분에, 그녀는 긍정적이었고 최선을 다했다.
▸ ③ → remained / remain은 (계속) ~이다, '(~한 상태로) 남아 있다'라는 뜻의 자동사로, 수동태로 쓸 수 없다.

4 행동을 기반으로 사람들을 판단하는 것은 쉽다. 우리는 종종 말보다 행동에 더 많은 가치를 두도록 배우고, 그럴만한 충분한 이유가 있다. 다른 사람들의 행동은 종종 그들이 하는 말보다 더 큰 목소리를 낸다. 하지만 누군가가 난해한 행동을 보일 때, 여러분은 판단을 나중으로 유보하기를 원할 수도 있다. 사람들이 항상 그들의 행동으로 정의되는 것은 아니다.
▸ ② → exhibits / 주어 someone이 '드러내지는' 대상이 아니라 어떤 난해한 행동을 '드러내는' 주체이므로 능동태로 고쳐야 한다.

C

1 수중 사진술이 탄생하였다. 물이 맑고 충분한 빛이 있는 수면 근처에서는 아마추어 사진작가가 저렴한 수중 카메라로 멋진 사진을 찍을 가능성이 상당히 높다. 더 깊은 곳에서는 — 그곳은 어둡고 차갑다 — 사진술이 신비로운 심해의 세계를 탐험하는 주요한 방법이며, 그곳의 95%는 예전에는 전혀 볼 수 없었다.
▸ (A) bear는 '낳다'라는 뜻으로, '태어났다'는 was born으로 쓴다.
(B) 「it 가주어 – to부정사 진주어」 구문이 쓰인 문장이다. 「for+목적격」이 to부정사의 의미상의 주어이므로, an amateur photographer가 행동의 주체인 능동태가 와야 한다.
(C) 주어인 95 percent of which(a mysterious deep-sea world)가 '보이는' 대상이므로 수동태가 적절하다.

2 무대 마술에 의해 영감을 얻은 교묘한 속임수를 사용하여, 참가자들이 사진을 받았을 때, 그 사진은 참가자가 선택하지 않은, 즉 덜 매력적인 사진으로 교체되어 있었다.
▸ (A) 목적어 the photo가 있고 참가자가 사진을 '받는' 주체이므로 능동태가 적절하다.
(B) it은 the photo를 받는 대명사이다. 사진이 '교체한'것이 아니라 '교체된'것이므로 수동태가 적절하다. 과거완료 수동태는 「had+been+p.p.」 형태로 쓴다.

D

3 1976년에 호텔을 개업한 이래로, 우리는 에너지 소비와 낭비를 줄임으로써 우리 지구를 보호하는 것에 헌신해 왔습니다. 지구를 보호하려는 노력으로, 우리는 새로운 정책을 채택했고 여러분의 도움을 필요로 합니다.
▸ ③ → have adopted / 우리 호텔이 '채택한' 것이므로 능동태로 고쳐야 한다.

4 요즘 차량 공유 운동이 전 세계적으로 나타났다. 많은 도시에서 차량 공유는 도시 주민들이 이동하는 방법에 대해 강한 영향을 끼쳤다. 북미처럼 차량 소유 문화가 강한 곳에서조차도 차량 공유가 인기를 얻었다. 공유된 각 1대의 차량이 약 10대의 개인 차량을 대체함에 따라, 교통 체증과 대기 오염에 미치는 강한 영향을 토론토부터 뉴욕까지에서 느낄 수 있다.
▸ ① → have appeared / appear는 '나타나다'라는 뜻의 자동사로, 수동태로 쓸 수 없다.

어법 REVIEW 3 : *서술형내신* 어법연습하기 pp. 42~33

1 01 they have been exposed repeatedly to "background noise" 02 shared / share는 '공유하다'라는 뜻을 가진 타동사로, 목적어가 필요하다. 목적어가 없고 앞에 나온 is로 보아 수동태가 와야 한다. 03 are convinced

2 01 Opposite attitudes toward a given species can be exhibited by different cultures. 02 ⓐ is provided → provides 03 쥐는 유럽과 북아메리카의 많은 지역에서 유해 동물로 여겨지고, 인도의 일부 지역에서는 매우 존중된다.

1. 구문분석 및 직독직해

❶ Some professionals argue [that many teenagers / can
 일부 전문가들은 주장한다   많은 십 대들이 실제로
                        명사절 접속사(argue의 목적절)

actually study productively / under less-than-ideal conditions /
생산적으로 공부할 수 있다고   전혀 이상적이지 않은 상황에서
        └ 부사

because they have been exposed repeatedly / to "background
왜냐하면 그들은 반복적으로 노출되어 왔기 때문에   '배경 소음'에
          현재완료 수동태   expose to: ~에 노출하다

noise" / since early childhood].
            어린 시절부터
            전치사

❷ These educators argue [that children have become used /
 이 교육 전문가들은 주장한다   아이들이 익숙해졌다고
              명사절 접속사(argue의 목적절)
                            be(become) used to: ~에 익숙해지다

to the sounds of the TV, video games, and loud music].
TV, 비디오 게임,　　　그리고 시끄러운 음악 소리에
명사절 접속사(argue의 목적절)　(that) 생략　(should) 생략

❸ They also argue [that insisting / ∨students∨turn off the
그들은 또한 주장한다　주장하는 것이　학생들이 TV나 라디오를 꺼야 한다고
　　　　　　　　　　　(they are) 생략

TV or radio / when∨ doing homework / will not necessarily
숙제를 할 때　　　　반드시 높이는 것은 아니라고
접속사+분사구문　　동사

improve / their academic performance].
그들의 학업 성적을
목적어

❹ This position is certainly not generally shared, / however.
이 견해는　　분명히 일반적으로 공유되는 것은 아니다　　그러나
　　　　수동태 현재

❺ Many teachers and learning experts / are convinced / by
많은 교사들과 학습 전문가들은　　　　　확신한다
　　　　　　　　　　　　　　수동태 현재

their own experiences [that students {who study / in a noisy
그들 자신의 경험으로　학생들이 공부하는 시끄러운
by+행위자　　　　　명사절 접속사　∨관계사절

environment} often learn inefficiently].
환경에서　　　흔히 비효율적으로 학습한다는 것을

해석 일부 전문가들은 많은 십 대들이 어린 시절부터 '배경 소음'에 반복적으로 노출되어 왔기 때문에 전혀 이상적이지 않은 상황에서 실제로 생산적으로 공부할 수 있다고 주장한다. 이 교육 전문가들은 아이들이 TV, 비디오 게임, 그리고 시끄러운 음악 소리에 익숙해졌다고 주장한다. 그들은 또한 숙제를 할 때 학생들이 TV나 라디오를 꺼야 한다고 주장하는 것이 반드시 그들의 학업 성적을 높이는 것은 아니라고 주장한다. 그러나 이러한 입장이 분명히 일반적으로 공유되는 것은 아니다. 많은 교사들과 학습 전문가들은 시끄러운 환경에서 공부하는 학생들이 흔히 비효율적으로 학습한다는 것을 그들 자신의 경험으로 확신한다.

해설 **O1** 현재완료 수동태는 「have+been+p.p.」 형태로 쓴다. '~에 노출시키다'는 전치사 to를 사용하여 expose to로 쓴다. 부사는 일반적으로 수식하는 동사 뒤에 쓴다.

O2 능동태 문장인지 수동태 문장인지 판단하려면 먼저 문장에 목적어가 있는지 확인한다.

O3 convince는 '확신시키다, 납득시키다'라는 뜻으로, many teachers and learning experts가 주어이고, 뒤에 「by+목적격」이 있는 것으로 보아, 수동태로 써야 한다.

2. 구문분석 및 직독직해

❶ The natural world provides / a rich source of symbols /
자연계는 제공한다　　　　상징의 풍부한 원천을
능동태 (주어와 동사의 관계가 능동)

used in art and literature.
예술과 문학에서 사용되는
∨ 과거분사구 (앞의 명사구 수식)

❷ Plants and animals / are central to / mythology, dance,
식물과 동물은　　　　~의 중심에 있다
　　　　　　　　central to: ~에 중심이 되는

song, poetry, rituals, festivals, and holidays / around the world.
신화, 춤, 노래, 시, 의식, 축제 그리고 기념일　　전 세계의
　　　　　　등위접속사(병렬구조)

❸ Different cultures can exhibit / opposite attitudes / toward
각기 다른 문화는 보일 수 있다　　상반되는 태도를
능동태 (주어와 동사의 관계가 능동)　　　　　　~에 대하여

a given species.
주어진 종에 대해

❹ Snakes, (for example,) are honored by some cultures /
뱀은　　　예를 들어　　일부 문화에서는 존경의 대상이고
　　　삽입구　　　　수동태 현재　by+행위자
　　　　　　　　　　　　(are) 생략

and hated by others.
다른 문화에서는 증오를 받는다
등위접속사(병렬구조)

❺ Rats are considered pests / in much of Europe and North
쥐는 유해동물로 여겨진다　　유럽과 북아메리카의 많은 지역에서
　　수동태 현재
　　　　　　　　　(are) 생략

America / and greatly respected / in some parts of India.
그리고 매우 존중된다　　인도의 일부 지역에서는
등위접속사(병렬구조)

❻ Of course, / within cultures / individual attitudes / can vary
물론　　(같은) 문화 내에서　개인의 태도는
　　　　　　　　　　　　　　　주어　　　동사

dramatically.
극적으로 다를 수 있다
∨ 부사 (앞의 동사 수식)

❼ For instance, / in Britain / many people dislike rodents, /
예를 들어　　　영국에서는　많은 사람들이 설치류를 싫어한다

and yet there are several associations / devoted to breeding
그렇지만　여러 협회들이 있다　　　　기르는 데 전념하는
there are+복수 명사: ~들이 있다　　devote: (수동형으로 쓰여) ~에 전념하다

them, / including the National Mouse Club and the National
　　National Mouse Club과 National Fancy Rat Club을 포함해서
　　전치사: ~을 포함하여

Fancy Rat Club.

해석 자연계는 예술과 문학에서 사용되는 상징의 풍부한 원천을 제공한다. 식물과 동물은 전 세계의 신화, 춤, 노래, 시, 의식, 축제 그리고 기념일의 중심에 있다. 각기 다른 문화는 주어진 종에 대해 상반되는 태도를 보일 수 있다. 예를 들어, 뱀은 일부 문화에서는 존경의 대상이고 다른 문화에서는 증오를 받는다. 쥐는 유럽과 북아메리카의 많은 지역에서 유해 동물로 여겨지고, 인도의 일부 지역에서는 매우 존중된다. 물론, (같은) 문화 내에서 개인의 태도는 극적으로 다를 수 있다. 예를 들어, 영국에서는 많은 사람들이 설치류를 싫어하지만, National Mouse Club과 National Fancy Rat Club을 포함해서 설치류를 기르는 데 전념하는 여러 협회들이 있다.

해설 **O1** 조동사의 수동태는 「조동사+be+p.p.」 형태로 쓴다. 능동태의 주어는 수동태에서 「by+목적격」으로 쓴다.

O2 provide는 '제공하다'라는 뜻으로, 뒤에 목적어가 있고 주어와 동사의 관계가 능동이므로 provides로 고쳐 써야 한다.

O3 수동태로 쓰인 are considered와 병렬구조인 (are) respected에 유의하여 해석한다.

Unit 06 to부정사와 동명사

문법 확인 p. 44

준동사 ❶ 명사   ❷ to부정사   ❸ 분사

to부정사 ❹ 동사원형   ❺ 부사

동명사 ❻ 명사

개념 마무리 OX (1) ○   (2) ✕   (3) ✕

실전어법 개념확인 p. 45

Point ❶ 준동사, 동사 / **1** helps

Point ❷ 타동사 / **2** to have   **3** searching

Point ❸ ~(해야) 할 것을 잊다, ~한 것을 기억하다, ~하기 위해 멈추다, ~하는 것을 멈추다 / **4** to give

Point ❹ 5, 지각동사, 능동, 원형부정사, to부정사, 원형부정사 / **5** to be   **6** kick   **7** escape, to escape

어법 REVIEW 1 문장 어법연습하기 pp. 46~47

A

1 to make ▸ want는 목적어로 to부정사

2 realize ▸ 주절의 서술어 역할을 하므로 준동사가 아닌 일반동사

3 listening ▸ enjoy는 목적어로 동명사

4 to move ▸ enable은 목적격보어로 to부정사

5 to use ▸ decide는 목적어로 to부정사

6 finding ▸ try의 목적어인 명사 역할을 하므로 준동사

7 enter ▸ 지각동사 see는 목적격보어로 원형부정사(동사원형)

B

1 allow ▸ and 다음 절의 서술어 역할을 하므로 준동사가 아닌 일반동사

2 enriching ▸ 전치사 다음에는 동명사

3 to transport ▸ agree는 목적어로 to부정사

4 voice ▸ 사역동사 let은 목적격보어로 원형부정사(동사원형)

5 to save 또는 saving ▸ start는 목적어로 to부정사나 동명사

6 to keep ▸ ask는 목적격보어로 to부정사

7 to make ▸ cause는 목적격보어로 to부정사

해석

A

e.g. 꿈을 글로 적을 때 당신은 그것을 실행하기 시작한다.

1 그리고 당신은 정말로 그 운전자들과 눈을 마주치고 싶은가?

2 우리가 문화적 다양성에 대한 질문의 답을 찾으려 노력할 때, 우리는 문화가 옳거나 그른 것에 대한 것이 아니라는 것을 알게 된다.

3 나중에, 그는 신이 그 개구리의 소리를 듣는 것을 즐기고 있었을 수도 있었기 때문에 이를 후회한다.

4 우리는 얼굴에 많은 근육들이 있는데 이는 우리의 얼굴을 많은 다른 위치로 움직일 수 있게 한다.

5 나도 당신들처럼 친절한 말을 더 많이 쓰기로 했습니다.

6 당신이 다소 돈을 절약하고 싶다면, 물건을 사는 것보다는 무언가를 만드는 데에서 즐거움을 찾아 보아라.

7 그러나, 당신은 갑자기 여섯 명의 그룹이 그 중 한 곳에 들어가는 것을 본다.

B

e.g. 그 사람이 즉시 보통처럼 행동하는 것으로 바로 돌아갈 것이라 기대하지 마라.

1 이것은 더 안정적으로 보이고 손님들이 편하게 상품들을 위에서 아래로 훑어볼 수 있도록 할 것이다.

2 자원봉사자들은 다른 이들을 도우면서 자신들의 사회적 관계망을 풍부하게 하는 것에 만족감을 보고했다.

3 그 조직은 그들의 아프리카로의 다음 여행에 티셔츠들을 수송하기로 동의했다.

4 당신이 그들의 생각을 존중한다는 것을 알게 하고, 그들이 자신의 의견들을 말하게 하라.

5 전문가들은 젊은 사람들이 불필요한 것들에 돈을 낭비하는 것을 멈추고 저축을 시작해야 한다고 제안한다.

6 그 농부는 그의 이웃에게 개들을 제지하라고 요구했지만, 이 말은 귀에 들어가지 않았다.

7 바로 식물이 움직일 수 없다는 이 사실이 그들로 하여금 화학 물질을 만들도록 한다.

어법 REVIEW 2 짧은 지문 어법연습하기 pp. 48~49

A 1 (A) to get (B) to drive   **2** (A) crashing (B) to play

B 2 ④   **3** ③

C 1 (A) to consider (B) having

    2 (A) to solve (B) landing

D 3 ①   **4** ④

A

1 삶은 많은 위험과 도전으로 가득 차 있으며 이 모든 것에서 벗어나기를 원하면, 인생의 경주에서 뒤처지게 될 것이다. 결코 위험을 무릅쓰지 못하는 사람은 아무것도 배울 수 없다. 예를 들어, 만약 차를 운전하는 위험을 무릅쓰지 않는다면, 당신은 결코 운전을 배울 수 없다.
▶ (A) want는 목적어로 to부정사를 취하므로 to get이 알맞다.
　(B) learn의 목적어인 명사 역할을 하는 준동사 to drive가 알맞다.

2 피실험자들은 게임 참가자가 경고 없이 도로에 나타나는 벽에 충돌하는 것을 피해야 하는 컴퓨터 운전 게임을 했다. Steinberg와 Gardner는 무작위로 몇몇 참가자들이 혼자 게임을 하거나 두 명의 같은 나이 또래가 지켜보는 가운데 게임을 하게 했다.
▶ (A) avoid는 동명사만을 목적어로 취하므로 crashing이 알맞다.
　(B) 동사 assign의 목적격보어로 to부정사가 알맞다.

B

3 당신은 당신의 삶을 어떻게 만들어 가고 싶은지 자유롭게 선택할 수 있다. 그것은 자유 의지라고 불리고, 그것은 여러분의 기본적인 권리이다. 게다가, 여러분은 그것을 즉시 실행할 수 있다! 언제든, 여러분은 자신을 더 존중하기 시작하거나 혹은 여러분을 낙담시키는 친구들과 어울리는 것을 멈추는 것을 선택할 수 있다. 결국, 여러분은 행복해지는 것을 선택하거나, 비참해지는 것을 선택한다.
▶ ④ → to be / choose는 to부정사만을 목적어로 취하므로 to be로 고쳐야 한다.

4 그가 죽기 전에, 그는 그의 최후의 안식처에 마지막 축복을 주고 싶었고, 그래서 그는 인간들을 창조하기로 했다. 그러나 그는 자신이 죽어가고 있다는 것을 알고 너무 서둘러서 그들에게 무릎을 만들어 주는 것을 잊었고, 건성으로 캥거루처럼 큰 꼬리를 주었는데, 그것은 그들이 앉을 수 없다는 것을 의미했다.
▶ ③ → to give / '~할 것을 잊다'의 의미이므로 「forget+to부정사」 형태로 고쳐야 한다.

C

1 만약 당신이 고객의 손을 잡고 그들에게 구매를 고려하도록 하고 싶은 모든 훌륭한 제품들을 가리키며 당신의 상점을 통해 각각의 고객을 안내할 수 있다면 좋지 않을까? 그러나 대부분의 사람들은, 낯선 이가 그들의 손을 잡고 상점 사이로 그들을 끌고 다니는 것을 특별히 즐기지 않을 것이다.
▶ (A) like가 5형식으로 사용되었으므로 목적격보어로 to 부정사가 알맞다.
　(B) enjoy는 동명사만을 목적어로 취하므로 having이 알맞다.

2 이 수수께끼를 풀기 위해, 야생 생물학자 Tim Caro는 탄자니아에서 얼룩말을 연구하며 10년 이상을 보냈다. 2013년, 그는 얼룩말의 가죽으로 덮인 파리 덫을 설치했고, 비교를 위해 영양의 가죽으로 덮인 다른 덫들도 준비했다. 그는 파리가 줄무늬 위에 앉는 것을 피하는 것 같다는 것을 알았다.
▶ (A) '~하려고 노력하다'의 의미로 「try+to부정사」 형태가 알맞다.
　(B) avoid는 목적어로 동명사만을 취하므로 landing이 알맞다.

D

3 9살 소녀 Anna는 4학년까지 작은 마을에서 초등학교를 다니는 것을 마쳤다. 5학년을 위해, 그녀는 도시에 있는 학교로 전학을 갔다. 그녀의 학교에서의 첫날이었고, 그녀는 버스로 그녀의 새로운 학교로 갔다. 모든 학생들이 그들의 학급으로 가기 시작했다. Anna의 소박한 옷차림을 보고, 그녀가 작은 마을 출신이라는 것을 알자, 교실의 몇몇 학생들은 그녀를 놀리기 시작했다.
▶ ① → finished / 문장의 서술어 역할을 하므로 준동사가 아닌 일반동사 finished로 고쳐야 한다.

4 초기 사회에 있어서, 가장 기초적 의문에 대한 대답은 종교에서 찾아졌다. 그러나 몇몇 사람들은 그 전통적인 종교적 설명이 부적절하다는 것을 발견했고, 이성에 근거하여 답을 찾기 시작하였다. 이러한 변화가 철학의 탄생의 조짐이 되었고, 우리가 아는 위대한 사상가들 중 첫 번째가 Miletus의 Thales였다. 그는 우주의 본질을 탐구하기 위해 이성을 사용하였고, 다른 사람들도 그와 같이 하도록 권장하였다.
▶ ④ → to do / encouraged의 목적격보어로 to부정사가 오므로 do를 to do로 고쳐야 한다.

어법 REVIEW 3 서술형내신 어법연습하기 pp. 50~51

1 01 당신을 미소 짓게 하는 모든 사건들은 당신을 행복하게 느끼도록 만든다　02 Force your face to smile even when you are stressed or feel unhappy.　03 recovering / 전치사 다음에는 동명사가 온다.

2 01 to write 또는 writing　02 그러나, 만약 당신이 사람들로 하여금 당신이 쓴 것을 읽고 이해하기를 원한다면　03 If you simply manage to write in spoken language

1. 구문분석 및 직독직해

❶ Every event [that causes you to smile] makes you / feel
　모든 사건들은　당신을 미소 짓게 하는　당신을 ~하게 만든다
　　　　　주격 관계대명사　O　OC(to부정사) 사역동사　OC(원형부정사)

happy / and produces feel-good chemicals / in your brain.
행복하게 느끼도록　그리고 기분을 좋게 하는 화학물질을 생성한다　당신의 뇌 안에서
　　　　　　　　　동사2

❷ Force your face / to smile [even when you are stressed or
당신의 얼굴을 강제하라　미소 짓도록　당신이 스트레스를 받았거나
명령문 V　　O　　OC(to부정사)　　부사절(시간)

feel unhappy].
불행함을 느낄 때도

❸ The facial muscular pattern / produced by the smile / is
얼굴 근육의 패턴은　　　　　　미소에 의해 만들어진
　　　　　　　　　　　　　과거분사　　　　　동사1(수동태)

linked / to all the "happy networks" / in your brain / and will
연결되어 있다　'행복 연결망'과　　당신의 뇌 안에 있는　그리고

[in turn] naturally calm you down / and change your brain
결과적으로 자연스럽게 당신을 진정시킨다　그리고 당신의 뇌의 화학 작용을
　　　　　　　　　　　동사2　　　　　　　　　동사3

chemistry / by releasing the same feel-good chemicals.
변화시킨다　기분을 좋게 하는 동일한 화학물질을 내보냄으로써
　　　　　동명사(전치사의 목적어)

❹ Researchers / studied / the effects / of a genuine and
연구자들은　연구했다　효과들을　개인들에 있어서
　　S　　　V　　　O

forced smile on individuals / during a stressful event.
진짜 미소와 강제된 미소의　　스트레스를 받는 상황 동안

❺ The researchers / had participants / perform stressful
연구자들은　참가자들을 ~하게 했다　스트레스를 받게 하는
　　　　　　사역동사　　OC(원형부정사)
　　　(they are)

tasks / while not smiling, smiling, or holding chopsticks
임무를 수행하도록　미소 짓지 않거나, 미소 짓거나, 그들의 입에
　　　　분사구문　　　　부사적 용법(목적)

crossways in their mouths / (to force the face / to form a
젓가락을 옆으로 물고 있는 동안　/ 얼굴을 강제하기 위해　미소를 만들도록
　　　　　　　　　　　　V　　　　OC(to부정사)

smile).

❻ The results of the study / showed / that smiling, [forced
연구의 결과들은 　　　　　　보여주었다　미소 짓는 것이　강제되었든
　　　　　　　　　　　　　　　　　　명사절(목적어)　주어

or genuine], during stressful events / reduced / the intensity
진짜이든　　　　스트레스 상황 동안　　　감소시켰다
　삽입어구　　　　　　　　　　　　　　　동사1

of the stress response / in the body / and lowered / heart rate
스트레스 반응의 강도를　　몸속의　　　그리고 낮추었다　심장 박동률을
　　　　　　　　　　　　　　　　　　　동사2

levels / after recovering from the stress.
　　　　스트레스에서 회복하고 난 후에
　　　　　동명사(전치사의 목적어)

해석 당신을 미소 짓게 하는 모든 사건들은 당신을 행복하게 느끼도록
만들고 당신의 뇌 안에서 기분을 좋게 하는 화학물질을 만든다.
당신이 스트레스를 받거나 불행을 느낄 때도 당신의 얼굴이 미소
짓도록 강제하라. 미소에 의해 만들어진 얼굴의 근육 패턴은 당
신 뇌 속에 있는 모든 '행복 연결망'에 연결되어 있고 결과적으로
자연스럽게 당신을 안정시키고 똑같은 기분을 좋게 하는 화합물
을 분비함으로써 당신 뇌의 화학작용을 바꾼다. 연구자들은 스트
레스가 있는 상황 동안 진짜 미소와 강제된 미소의 개개인에 대
한 효과를 연구했다. 연구자들은 참가자들이 미소 짓지 않는 동
안, 미소 짓는 동안 또는 젓가락을 그들의 입에 가로로 물고 있는
동안(미소를 만들도록 얼굴을 강제하기 위해) 스트레스를 받는 과
업을 수행하도록 했다. 연구 결과들은 스트레스를 받는 상황 동안
미소 짓는 것이, 강제된 것이든 진짜이든, 몸의 스트레스 반응의
강도를 감소시키고 스트레스에서 회복한 후에 심장 박동률 수준
을 낮추었다는 것을 보여 주었다.

해설 ○1 문장의 주어는 every event이고 동사는 사역동사인
makes이며 목적격보어로 원형부정사가 사용되었다. that
~ smile은 주어를 수식하는 관계사절이며, that절 안의 동
사 cause의 목적격보어로 to부정사 to smile이 사용되었다.
　　　○2 동사 force의 목적어로 your face가 오고, 목적격보어로
to부정사 형태가 와야 하므로 to smile을 쓴다.
　　　○3 전치사 다음에는 명사 역할을 하는 동명사가 와야 한다.

2. 구문분석 및 직독직해

❶ Something comes over most people / when they start
대부분의 사람들에게 어떤 생각이 밀려온다　　　그들이 글쓰기를 시작할 때
　　　　　　　　　　　　　　　　　　　　　　　　부사절(시간)

writing.

❷ They write in a language [different from the one {they
그들은 ~한 언어로 글을 쓴다　　그들이 사용할 것같은 언어와는 다른 언어

would use}] if they were talking to a friend.
　　　　　　　만일 그들이 친구에게 말하고 있다면
　　　　　　　　가정법 과거

❸ If, however, / you want people to read and understand /
그러나, 만약,　당신이 사람들이 읽고 이해하게 하기를 원한다면
　　　　　　　　　　　　　5형식 동사　O　　OC(to부정사)

what you write, / write it in spoken language.
당신이 쓰는 것을　　구어체로 그것을 써라
관계대명사

❹ Written language is more complex, / which makes it /
문어체는 더 복잡하다　　　　　　　　그것은 만든다
　　　　　　　　　　　　　관계대명사 계속적 용법　V　O

more work to read.
읽는 데 더 큰 수고가 들도록
　　OC

❺ It's also more formal and distant, / which makes the
그것은 또한 더 격식 있고 거리감이 있다　그것은 독자들이
　　　　　　　　　　　　　　　　　　　　사역동사

readers lose attention.
집중력을 잃게 한다
　　O　OC(원형부정사)

❻ You don't need complex sentences / to express ideas.
당신은 복잡한 문장들을 필요로 하지 않는다　생각을 표현하기 위해
　　　　　　　　　　　　　　　　　　　　부사적 용법(목적)

❼ Even when / specialists in some complicated field / express
~할 때 조차　몇몇 복잡한 분야의 전문가들이　　　그들의
　　　　　　　　　　　　　　　　　　　　　　　과거분사 ⌐

their ideas, / they don't use sentences / any more complex
생각을 표현한다　그들은 문장들을 사용하지 않는다　　그들이 사용하는
　　　　　　　⌐ (they are)

than they do / when talking about [what to have for lunch].
것보다 더 복잡한　그들이 이야기할 때　　점심으로 무엇을 먹을지
　　　　　　　접속사+분사구문　　　의문사 what이 이끄는 명사절

❽ If you simply manage to write in spoken language, / you
당신이 단지 구어체로 글을 쓸 수만 있다면　　　　　　당신은
　　　　　manage+to부정사: 어떻게든 ~하다

have a good start / as a writer.
좋은 시작을 하는 것이다　작가로서

해석 글쓰기를 시작할 때 대부분의 사람들에게 어떤 생각이 밀려온다.
만일 그들이 친구에게 말하고 있다면 그들이 사용할 것같은 언어
와 다른 언어로 글을 쓴다. 그러나, 만약, 당신이 쓰는 것을 사람
들이 읽고 이해하길 원한다면, 구어체로 그것을 써라. 문어체는
더 복잡한데, 그것은 글을 읽는 데 더 큰 수고가 들도록 만든다.
그것은 또한 더 격식 있고 거리감이 있고, 이는 독자들이 집중력
을 잃게 한다. 당신은 생각을 표현하기 위해 복잡한 문장들을 필
요로 하지 않는다. 몇몇 복잡한 분야의 전문가들이 그들의 생각을
표현할 때조차, 그들은 점심으로 무엇을 먹을지 이야기할 때 사용
하는 것보다 더 복잡한 문장들을 사용하지 않는다. 당신이 단지
구어체로 글을 쓸 수만 있다면, 작가로서 좋은 시작을 하는 것이다.

해설 ○1 start는 목적어로 to부정사나 동명사를 취한다.
　　　○2 동사 want의 목적격보어로 to부정사구인 to read and
understand가 사용되었다.
　　　○3 manage는 목적어로 to부정사를 취한다.

Unit 07 분사와 분사구문

문법 확인 p. 52

분사 ❶ 현재분사 ❷ 과거분사

명사 수식과 보어 역할 ❸ 명사 ❹ 주격보어 ❺ 목적격보어

분사구문 ❻ 능동 ❼ 수동

개념 마무리 OX (1) ○ (2) × (3) ×

실전어법 개념확인 p. 53

Point ❶ 능동, 완료, 뒤 / 1 flattering 2 needed
Point ❷ 2, 5, 목적격보어 / 3 tired 4 walking
Point ❸ 능동 / 5 Feeling 6 receiving
Point ❹ 수동 / 7 amazed

어법 REVIEW 1 *문장* 어법연습하기 pp. 54~55

A

1 soothing ▶ '진정시키는' 효과이므로 능동의 현재분사

2 charged ▶ 구름들이 '충전되는' 것이므로 수동의 과거분사

3 taking ▶ 주어인 one student가 더 쉬운 길을 '택하는' 것이므로 능동의 현재분사

4 supplying ▶ 파이프가 물을 '공급하는' 것이므로 능동의 현재분사

5 designed ▶ 생각을 증명하도록 '설계된' 것이므로 수동의 과거분사

6 scouting ▶ 코치들이 주체가 되어 '스카우트하는' 것이므로 능동의 현재분사

7 complaining ▶ 주어인 you가 '항의를 하는' 것이므로 능동의 현재분사

B

1 walking ▶ 소녀가 '걸어가고 있는' 것이므로 진행의 현재분사

2 Feeling ▶ 최악의 상황이 끝났다는 것을 '느끼는' 것이므로 능동의 현재분사

3 manufactured ▶ 제품들이 '제조된' 것이므로 수동의 과거분사

4 Called ▶ '~라고 불리며'라는 뜻이므로 수동의 과거분사

5 surrounded ▶ 불쾌한 냄새에 '둘러싸여' 있는 것이므로 수동의 과거분사

---

6 receiving ▶ Turner가 '학위를 받는' 주체이므로 능동의 현재분사

7 involving ▶ 이야기가 남자를 '관련시키고' 있으므로 능동의 현재분사

해석

A

e.g. 비전은 움직이는 목표물을 향해 쏘는 것과 같다.

1 몇몇 소비자들은 피부에의 진정 효과 때문에 피부용 크림과 유아용품을 구입한다.

2 뇌우가 몰아치는 동안, 구름들이 서로 마찰을 하며 충전될 수 있다.

3 한 학생은, 끝까지 가는 더 쉬운 길을 택하며, 그 장애물들을 회피하는 것을 선택했다.

4 그러한 비상사태 하나는 캠프에 물을 공급하는 파이프가 새는 경우를 포함했다.

5 추측을 하는 대신, 과학자들은 그들의 생각이 참인지 거짓인지 증명하도록 설계된 체계를 따른다.

6 유망한 학생 선수들을 스카우트하는 많은 대학 코치들이 경기들에 참석할 것입니다.

7 당신은 당신의 토스터가, 겨우 3주 전에 샀는데, 작동이 되지 않는다고 항의하며 저희 회사에 편지를 썼습니다.

B

e.g. 형광등 조명 또한 피곤하게 할 수 있다.

1 그는 거리를 걸어가고 있는 한 소녀를 가리켰다.

2 최악의 상황이 끝났다고 느끼며, 나는 온몸의 긴장이 풀리고 편안해짐을 알게 된다.

3 오늘날 만들어진 제품들 중 다수가 너무 많은 화학물질과 인공적인 재료를 함유하고 있다.

4 'Give the Shirt Off Your Back'이라고 불리며, Toby의 캠페인은 곧 만 장이 넘는 티셔츠를 모았다.

5 붐비는 대피소의 구석 바닥에 누워, 불쾌한 냄새에 둘러싸인 채, 나는 잠들 수 없었다.

6 학위를 받은 후에도, Turner는 어떤 주요 대학에서도 교직이나 연구직을 얻을 수 없었다.

7 고장 난 보일러를 고치기 위해 애쓰는 한 남자와 관련된 매우 오래된 이야기가 있다.

어법 REVIEW 2 *짧은 지문* 어법연습하기 pp. 56~57

A 1 (A) Feeling (B) standing 2 (A) charged (B) amazed

B 3 ② 4 ③

C 1 (A) Faced (B) interesting
   2 (A) marketing (B) provided

D 3 ③ 4 ①

A

1 사람들에게 음식과 보급품을 나누어 주는 동안 자신의 어깨를 두드리는 것을 느끼고, 열여덟 살의 Toby Long은 몸을 돌려서 자신의 뒤에 서 있는 에티오피아 소년을 발견했다. 그 어린 소년은 먼저 자신의 낡은 셔츠를 보고, 그 다음 Toby의 옷을 보았다. 그 다음에, 그는 그가 Toby의 셔츠를 가질 수 있는지 물었다.

▶ (A) 주어(Toby Long)와 분사의 관계가 능동이므로 현재분사 feeling이 알맞다.
　(B) find가 5형식으로 사용되었으므로 목적격보어로 현재분사 standing이 알맞다.

2 세 번째 경기는 좀 더 어려웠지만, 시간이 어느 정도 지난 뒤, 그의 상대는 조급해졌고 격양되었다. 소년은 그의 한 가지 동작을 능숙하게 사용했고 경기에서 이겼다. 여전히 자신의 성공에 놀란 채로, 그는 이제 결승전에 갔다. 이번에는, 상대가 더 크고, 더 강했고, 더 경험이 많았다.

▶ (A) 그의 상대가 '격양된' 것이므로 수동의 과거분사 charged가 알맞다.
　(B) 자신의 성공에 의해 '놀란' 것이므로 수동의 과거분사 amazed가 알맞다.

B

3 행동 생태학자들은 우리와 가까운 동류 동물 중 다수에서 영리한 모방 행동을 관찰해 왔다. 하나의 예가 주머니고양이라고 불리는 작은 호주 동물의 행동을 연구하는 행동 생태학자들에 의해 밝혀졌다. 그것의 생존이 1930년대에 호주로 들여진 외래침입종인, 수수두꺼비에 의해 위협받고 있었다.

▶ ② → called / quoll이라고 '불리는' 것이므로 수동의 과거분사 called로 고쳐야 한다.

4 임의성은, 조직에서 또는 사건에서, 우리 대부분에게 더 힘들고 더 무섭다. '완전한' 무질서로 인해 우리는 계속해서 적응하고 대응해야만 하는 것에 좌절한다. 그러나 '완전한' 규칙성은 아마도 그것의 단조로움에서 임의성보다 훨씬 더 끔찍할 것이다. 그것은 차갑고 무정하며 기계적인 특성을 의미한다.

▶ ③ → horrifying / 완전한 규칙성이 임의성보다 더 '끔찍함을 느끼게 할' 것이라는 의미이므로 능동의 현재분사 horrifying으로 고쳐야 한다.

C

1 사람들은 무언가가 일어나고 있는 곳에 모이고 다른 사람들의 존재를 추구한다. 텅 빈 거리 혹은 활기찬 거리를 걷는 것의 선택과 직면하게 되면, 대부분의 사람들은 생기와 활동으로 가득한 거리를 택할 것이다. 걷는 것이 더 흥미로울 것이고 더 안전하게 느껴질 것이다.

▶ (A) be faced with는 수동의 형태로 사용되며 '~와 마주하다'라는 의미이다. 'Being faced with~'의 분사구문에서 Being이 생략된 형태이다.
　(B) 걷는 것이 더 '흥미를 준다'는 의미이므로 능동의 현재분사 interesting이 알맞다.

2 비슷한 경우가 주름을 빠르게 줄여 준다는 크림을 내놓는 잘 알려진 화장품 회사의 경우에도 관련되어 있다. 그러나 제공된 유일한 증거는 "50명의 여성 중 76%가 동의했다."라는 것뿐이다.

▶ (A) 화장품 회사가 상품을 '내놓는다'는 의미이므로 능동의 현재분사 marketing이 알맞다.
　(B) '제공된' 증거라는 의미이므로 수동의 과거분사 provided가 알맞다.

D

3 내가 뒷좌석에 탔을 때, 바로 내 옆에 새로 출시된 휴대 전화가 놓여

있는 것을 보았다. 나는 운전사에게 "바로 전에 탔던 사람을 어디에 내려 주었나요?"라고 물으며 전화기를 그에게 보여 주었다. 그는 길을 걸어가고 있는 한 소녀를 가리켰다. 우리는 그녀에게로 운전해 갔고, 나는 그녀에게 소리치며 창문을 내렸다.

▶ ③ → yelling / '그녀에게 소리치며'라는 뜻의 분사구문이다. 주어(I)가 소리치는 주체이므로 능동의 현재분사를 사용한다.

4 수년이 지나서, Angela는 가장 유망한 젊은 연구자에게 주어지는 New Directions Fellowship을 받았다. 그 상은 열정과 인내의 중요성에 관한 그녀의 연구 덕분이었다. 그녀는 그녀의 성취를 엄마와 나누고, 그녀의 감사함을 표현하고 싶었다. Angela는 그녀의 연구 논문을 그녀의 엄마에게 읽어 주었다. 그녀의 엄마는 80세가 넘었고, 그녀는 그녀의 엄마가 반드시 명확히 이해하도록 하며 조금 더 천천히 읽었다.

▶ ① → given / 상이 '주어지는' 것이므로 수동의 과거분사 given으로 고쳐야 한다.

어법 REVIEW 3 *서술형내신* 어법연습하기 pp. 58~59

1 ◯1 The natural world provides a rich source of symbols used in art and literature. ◯2 giving → given / '주어진' 종이라는 의미이므로 수동의 과거분사 ◯3 북미에서는 유해 동물로 여겨지고 인도의 일부 지역에서는 매우 존중을 받는다.

2 ◯1 (a) fascinated (b) Proceeding ◯2 Even after he received his degree ◯3 illustrating that insects can alter behavior based on previous experience

1. 구문분석 및 직독직해

❶ The natural world / provides / a rich source of symbols
　자연계는　　　　　제공한다　　상징의 풍부한 원천을

[used in art and literature].
미술과 문학에서 사용되는
⌣ 과거분사구

❷ Plants and animals / are central / to mythology, dance,
　식물과 동물은　　　중심이다　　신화, 춤,

song, poetry, rituals, festivals, and holidays / around the
노래, 시, 의식, 축제 그리고 기념일의　　　　　전 세계에 걸쳐서

world.

❸ Different cultures / can exhibit / opposite attitudes /
　다른 문화들은　　　보일 수 있다　　상반된 태도를

toward a given species.
주어진 종에 대해
　　과거분사 ⌣

❹ Snakes, / for example, / are honored / by some cultures /
　예를 들어, 뱀은　　　존경을 받는다　　일부 문화에서는
　　　　　　　　　　┌ (are)　　　수동태　　「by+행위자」
and hated by others.
그리고 다른 문화에서는 증오를 받는다.
　　수동태

❺ Rats / are considered / pests / in much of Europe and
　쥐는　여겨진다　　유해 동물로　유럽과 북미의 많은 지역에서
　　수동태1　　　　목적격보어
　　　　　　(are)　⌣ 수동태2
North America / and greatly respected in some parts of India.
　　　　　　　그리고 인도의 일부 지역에서는 매우 존중 받는다

⑥ Of course, within cultures / individual attitudes / can vary
물론, 같은 문화 내에서　　　　개인의 태도는　　　　다를 수 있다

dramatically.
극적으로

⑦ For instance, in Britain / many people dislike rodents, /
예를 들어, 영국에서는　　　　많은 사람들이 설치류를 싫어한다

and yet / there are several associations [devoted to breeding
하지만　　　여러 협회가 있다　　　　　설치류를 사육하는 데 열심인
　　　　　　　　　　　　　└ 과거분사구　전치사＋동명사

them], including the National Mouse Club and the National
　　　　National Mouse Club과 National Fancy Rat Club을 포함해서
= rodents 전치사

Club.

해석 자연계는 미술과 문학에서 사용되는 상징의 풍부한 원천을 제공
한다. 식물과 동물은 전 세계에 걸쳐서 신화, 춤, 노래, 시, 의식,
축제 그리고 기념일의 중심이다. 다른 문화들은 주어진 종에 대
해 상반된 태도를 보일 수 있다. 예를 들어 뱀은 일부 문화에서는
존경을 받고 다른 문화에서는 혐오를 받는다. 쥐는 유럽과 북미
의 많은 지역에서 유해 동물로 여겨지고, 인도의 일부 지역에서는
매우 존중 받는다. 물론, 같은 문화 내에서 개인의 태도는 극적으
로 다를 수 있다. 예를 들어, 영국에서는 많은 사람들이 설치류를
싫어하지만, National Mouse Club과 National Fancy Rat
Club을 포함해서 설치류를 사육하는 데 열심인 여러 협회들이
있다.

해설 O1 과거분사구 used in art and literatured가 a rich
source of symbols을 뒤에서 수식하는 형태로 쓴다.
O3 다섯 번째 문장에 해당 내용이 언급되었다.

2. 구문분석 및 직독직해

① Born in 1867 in Cincinnati, Ohio, / Charles Henry Turner
1867년에 Ohio의 Cincinnati에서 태어난　Charles Henry Turner는
분사구문(과거분사)

was an early pioneer / in the field of insect behavior.
초기의 개척자였다　　　　곤충 행동 분야에서

② His father owned an extensive library / where Turner
그의 아버지는 광범위한 도서관을 가지고 있었다　그곳에서 Turner가
　　　　　　　　　　　　　　　　선행사　　　　　관계부사

became fascinated / with reading about the habits and
매료되었다　　　　　곤충의 습성과 행동에 대해 읽는 것에
　　　과거분사(보어 역할)

behavior of insects.

③ Proceeding with his study, / Turner earned a doctorate
그의 연구를 진행하며　　　　Turner는 동물학에서 박사 학위를
분사구문(현재분사)

degree in zoology, / the first African American to do so.
받았다　　　　　그렇게 한 첫 번째 아프리카계 미국인이었다
　　　　　　　　　　　　　　　　　└ 형용사적 용법

④ Even after receiving his degree, / Turner was unable to get
그의 학위를 받은 후에도　　　　　　Turner는 교직이나 연구직을
접속사 분사구문(현재분사)

a teaching or research position / at any major universities, /
얻을 수 없었다　　　　　　　어떤 주요한 대학에서도

possibly as a result of racism.
아마도 인종 차별의 결과로

⑤ He moved to St. Louis / and taught biology at Sumner High
그는 St. Louis로 이사했고　Sumner High School에서 생물학을 가르쳤다

School, / focusing on research there / until 1922.
　　　　거기서 그의 연구에 집중하며　　　1922년까지
　　　　분사구문(현재분사)

⑥ Turner was the first person to discover / that insects are
Turner는 ~을 발견한 첫 번째 사람이었다　　　곤충이 학습을
　　　　　　　　└ to부정사(형용사적 용법)

capable of learning, / illustrating that insects can alter
할 수 있다는 것　　　곤충들이 행동을 바꿀 수 있다는 것을 보여 주며
　　　　　　　　분사구문(현재분사)

behavior / based on previous experience.
과거분사　　　이전의 경험에 기반하여

⑦ He died of cardiac disease / in Chicago in 1923.
그는 심장병으로 사망했다.　　　1923년에 Chicago에서

⑧ During his 33-year career, / Turner published more than
그의 33년의 경력 동안　　　Turner는 70개가 넘는 논문을 발표했다

70 papers.

해석 1867년에 Ohio의 Cincinnati에서 태어난, Charles Henry
Turner는 곤충 행동 분야에서 초기의 개척자였다. 그의 아버지
는 그곳에서 Turner가 곤충의 습성과 행동에 대해 읽는 것에 매
료된 광범위한 도서관을 가지고 있었다. 그의 연구를 진행하며,
Turner는 동물학에서 박사 학위를 받았는데, 그렇게 한 첫 번째
아프리카계 미국인이었다. 그의 학위를 받은 후에도, 아마도 인종
차별의 결과로, Turner는 어떤 주요한 대학에서도 교직이나 연
구직을 얻을 수 없었다. 그는 St. Louis로 이사했고, 1922년까
지 거기서 그의 연구에 집중하며 Sumner High School에서 생
물학을 가르쳤다. Turner는 곤충들이 이전의 경험에 기반하여
행동을 바꿀 수 있다는 것을 보여 주면서, 곤충이 학습을 할 수 있
다는 것을 발견한 첫 번째 사람이었다. 그는 1923년에 Chicago
에서 심장병으로 사망했다. 그의 33년의 경력 동안, Turner는
70개가 넘는 논문을 발표했다.

해설 O1 (a) Turner가 곤충의 습성과 행동에 대해 읽는 것에 '매
료된' 것이므로 과거분사 fascinated가 알맞다.
(b) 분사구문이 와야 하고, 주어 Turner가 동사와 능동 관계
이므로 현재분사 Proceeding이 알맞다.
O2 주절의 주어 Turner를 he로 바꾸고 문장의 「접속사＋주
어＋동사(과거형) ~」의 형태로 쓴다.
O3 능동의 현재분사 illustrating으로 시작하는 분사구문으로
쓰되, 'based on ~'의 과거분사구가 behavior 뒤에서 수
식하는 형태로 쓴다.

Unit 08 관계사

문법 확인   p. 60

관계대명사   ❶ 접속사   ❷ 대명사   ❸ 형용사   ❹ whose
❺ that
관계대명사의 용법   ❻ 콤마
관계부사   ❼ 부사   ❽ where   ❾ how
개념 마무리 OX   (1) ×   (2) ×   (3) ○

실전어법 개념확인   p. 61

Point ❶   목적격, 생략 / **1** whose
Point ❷   콤마, 계속적 용법, that, what / **2** which
Point ❸   앞, who / **3** to which
Point ❹   that, what / **4** what
Point ❺   how / **5** why
Point ❻   불완전한 / **6** where

어법 REVIEW 1 문장 어법연습하기   pp. 62~63

A

1 who ▶ 선행사가 관계사절에서 주어 역할을 하므로 주격 관계대명사 who

2 that ▶ 선행사가 사물이고 관계사절에서 주어 역할을 하므로 주격 관계대명사 that

3 what ▶ 선행사가 없으므로 관계대명사 what

4 which ▶ 계속적 용법이므로 관계대명사 which

5 what ▶ 선행사가 없으므로 관계대명사 what

6 where ▶ 선행사가 장소를 나타내고 관계사 뒤에 완전한 문장이 나오므로 관계부사 where

7 in which ▶ 선행사를 관계사절로 넘겼을 때 he ~ thirteen of the questions in a long reply가 되므로 in which

B

1 who 또는 that ▶ 선행사가 사람이고 관계사절에서 주어 역할을 하므로 주격 관계대명사 who나 that

2 which 또는 that ▶ 선행사가 사물이고 관계사절에서 목적어 역할을 하므로 목적격 관계대명사 which나 that

3 what ▶ 선행사가 없으므로 관계대명사 what

4 when ▶ 선행사가 시간을 나타내고 관계사 뒤에 완전한 문장이 나오므로 관계부사 when

---

5 what ▶ 선행사가 없으므로 관계대명사 what

6 which ▶ 계속적 용법이므로 관계대명사 which

7 why ▶ 선행사 뒤에 완전한 문장이 나오고, 문맥상 이유를 나타내므로 관계부사 why

A

e.g. 우리는 구성원들이 서로 보완해 주는 다양성이 있는 팀을 찾고 있다.

1 첫째로, 외로운 누군가는 다른 이들을 돕는 것으로부터 혜택을 받을지도 모른다.

2 운동과 계절에 적절한 옷은 당신의 운동 경험을 향상시킬 수 있다.

3 많은 사람들이 과거의 실패에 기초하여 미래에 일어날 수 있는 것들에 대해 생각하고 그것에 붙잡힌다.

4 그들은 나아가 협업으로 라듐을 발견했는데, 그것은 물리학과 화학에서의 오랜 생각들을 뒤집었다.

5 이제, 그 그림을 염두에 두고 당신의 마음이 보는 것을 그리려 노력해 보라.

6 가난이 모든 곳에 있는 이 지역에서 배고픔은 유일한 문제가 아니었다.

7 교사는 질문들 중 열 세 개를 다룬 긴 답장을 써 보냈다.

B

e.g. 브라질은 다섯 개 나라 중 거의 소셜 네트워크를 통해 뉴스 영상을 보는 사람들의 가장 높은 백분율을 보여 준다.

1 이것은 외로운 사람들에게 어려울지 모르지만, 연구는 그것이 도움이 될 수 있다는 것을 보여 준다.

2 반면에, 외재적 기억들은 당신이 의식적으로 기억하고자 노력하는 기억들 혹은 특정한 것들이다.

3 인간은 그 안에서 자라고 익숙해진 것을 좋아하는 경향이 있다.

4 그의 아버지는 Turner가 거기서 곤충의 습성과 행동에 관해 읽는 것에 매료되었던 광범위한 도서관을 가지고 있었다.

5 이것은 아주 작은 요청이고, 대부분의 사람들은 판매원이 요청하는 것을 할 것이다.

6 우리는 스포츠 경기의 결과를 예상할 수 없는데, 이는 매주 달라진다.

7 이것은 과학기술이 흔히 저항을 받고 몇몇 사람들이 그것을 위협으로 인식하는 주된 이유 중 하나이다.

어법 REVIEW 2 짧은 지문 어법연습하기   pp. 64~65

A   **1** (A) whom   (B) that   **2** (A) that   (B) what

B   **3** ②   **4** ②

C   **1** (A) where   (B) which   **2** (A) in which   (B) that

D   **3** ③   **4** ①

A

1 단지 당신의 수업 참여를 좌우하는 모든 이들을 잠시 생각해 보라. 당신과 당신의 학우들, 당신의 선생님만 포함하는 것처럼 보이는 수업은 사실 수백 명의 사람들의 노력의 결과물이다.
- ▶ (A) 전치사 뒤의 관계대명사는 목적격 관계대명사가 오므로 whom이 알맞다.
  (B) 선행사 a class가 있고, 관계사절에서 주어 역할을 하므로 that이 알맞다.

2 당신은 그들이 사용하는 목소리의 어조로부터 단서를 얻을지 모른다. 예를 들어, 그들이 화가 났다면 그들은 목소리를 높이고, 그들이 두려워하고 있다면 떠는 투로 말할 수 있다. 친구가 무엇을 느끼고 있는지 알기 위해 당신이 사용하는 나머지의 다른 주요 단서는 그나 그녀의 표정을 보는 것일 것이다.
- ▶ (A) 선행사 the tone of voice가 있으므로 관계대명사 that이 알맞다.
  (B) 선행사가 없으므로 관계대명사 what이 알맞다.

B

3 Kevin은 그의 차를 닦으며 쇼핑몰 앞에 있었다. 그는 막 세차장에서 나왔고 아내를 기다리고 있었다. 사회가 걸인이라고 여길 한 노인이 주차장 건너편에서 그에게 다가오고 있었다. 당신이 관대한 기분을 느낄 때도 있지만 그저 방해받고 싶지 않은 때도 있다. 이번은 '방해받고 싶지 않은' 때 중 하나였다.
- ▶ ② → when / 선행사 times가 시간을 나타내고, 관계사 뒤에 완전한 문장이 오므로 관계부사 when으로 고쳐야 한다.

4 당신은 "너는 대문자 W처럼 보이는 다섯 개의 별이 보이니?"와 같이 말할 수 있다. 당신이 그렇게 한다면, 당신은 별을 볼 때 우리 모두가 하는 것을 정확히 하고 있는 것이다. 우리는 패턴을 찾는데, 다른 사람에게 무언가를 가리켜 주기 위해서 뿐만 아니라, 그것이 우리 인간이 항상 해왔던 것이기 때문이기도 하다.
- ▶ ② → what / 선행사가 없으므로 관계대명사 what으로 고쳐야 한다.

C

1 Dorothy Hodgkin은 1910년에 Cairo에서 태어났고, 그곳에서 그녀의 아버지는 Egyptian Education Service에서 일했다. 1949년에, 그녀는 그녀의 동료들과 페니실린의 구조를 연구했다. 비타민 B12에 관한 그녀의 연구는 1954년에 발표되었는데, 이는 그녀가 1964년에 노벨 화학상을 수상하게 되는 것으로 이어졌다.
- ▶ (A) 관계사 뒤에 완전한 문장이 오므로 관계부사 where가 알맞다.
  (B) 관계사 뒤에 주어가 없는 불완전한 문장이 오므로 관계대명사 which가 알맞다.

2 피실험자들은 게임 참가자가 도로에 경고 없이 나타나는 벽에 충돌하는 것을 피해야 하는 컴퓨터 운전 게임을 했다. Steinberg와 Gardner는 몇몇 참가자들을 무작위로 배치하여 혼자 게임하거나 혹은 두 명의 같은 나이의 또래가 지켜보며 하게 했다.
- ▶ (A) 선행사를 관계사절로 넘기면 the player must avoid crashing into a wall ~ in a computerized driving game이 되므로 in which가 알맞다.
  (B) 선행사 a wall이 있으므로 관계대명사 that이 알맞다.

D

3 그러나, 당신이 쓴 것을 사람들이 읽고 이해하길 원한다면, 그것을 구어체로 써라. 문어체는 더 복잡한데, 그것은 글을 읽는 데 더 큰 수고가 들도록 한다. 그것은 또한 더 격식 있고 거리감이 있는데, 그것은 독자들이 집중력을 잃게 한다.

▶ ③ → which / 앞 문장 전체를 설명하는 계속적 용법이므로 관계대명사 which로 고쳐야 한다.

4 만약 당신이 특정한 부분에 약점이 있다면, 배우고 스스로 상황을 개선하기 위해 해야 하는 것들을 하라. 만약 당신의 사회적 이미지가 형편없다면, 스스로를 들여다보고 그것을 개선하기 위해 필요한 조치를 하라, 바로 오늘. 당신은 삶에 어떻게 대응할지의 방식을 선택할 능력이 있다. 모든 변명을 끝내기로 오늘 결심하고, 무엇이 일어나는지에 대해 스스로에게 거짓말하는 것을 멈춰라. 성장의 시작은 당신이 자신의 선택들에 대한 책임을 개인적으로 받아들이기 시작할 때 온다.
- ▶ ① → what / 선행사가 없으므로 관계대명사 what으로 고쳐야 한다.

어법 REVIEW 3 *서술형내신* 어법연습하기 pp. 66~67

1 **01** who / 선행사인 the CEO가 관계사절에서 주어 역할을 하므로 주격 관계대명사 **02** 내가 당신에게 묻지 않으면 당신이 생각하는 것을 나에게 말하지 마세요. **03** Imagine the loss of self-esteem that manager must have felt.

2 **01** 당신이 성취하고자 하는 목표들 **02** We set resolutions based on what we are supposed to do **03** that → what / 선행사가 없으므로 관계대명사 what

1. 구문분석 및 직독직해

❶ How does a leader / make people feel important?
리더는 어떻게 만드는가 사람들을 중요하다고 느끼도록
사역동사 O OC(원형부정사)

❷ First, by listening to them.
첫째, 그들의 말을 듣는 것에 의해서이다.
동명사(전치사의 목적어)

❸ Let them know [∨you respect their thinking], and let them
그들이 알게 하라 당신이 그들의 생각을 존중한다는 것을 그리고
사역동사 O OC(원형부정사) 명사절(목적어 역할) 사역동사 O
(that)

voice / their opinions.
그들이 말하게 하라 그들의 의견을
OC(원형부정사)

❹ As an added bonus, / you might learn something!
더해지는 보너스로 당신은 무언가를 배울 수 있을지 모른다
전치사(~로서)

❺ A friend of mine / once told me / about the CEO of a large
내 친구가 나에게 말해준 적이 있었다 큰 회사의 CEO에 대해
선행사(사람)

company [who told one of his managers, / "There's nothing
그의 관리자 중 한 사람에게 말한 없어요
주격 관계대명사 간접목적어 직접목적어 선행사

/ you could possibly tell me {that I haven't already thought
당신이 내게 말할 수 있는 것이 내가 전에 이미 생각한 적이 없는 것은
목적격 관계대명사 생략 목적격 관계대명사(선행사 nothing)
관계대명사의 이중한정(관계사절이 2개)

about before.}]
about before.

❻ Don't ever tell me [what you think] unless I ask you.
나에게 절대 말하지 마세요 당신이 생각하는 것을 내가 묻지 않으면
선행사 없음 관계대명사 ~하지 않으면

Is that understood?"
이해했습니까
수동태

❼ Imagine / the loss of self-esteem [that manager must have
상상해 보라 자존감의 상실을 관리자가 느꼈음이 틀림없을
선행사 목적격 관계대명사
must have+p.p.: ~했음이 틀림없다

felt].

❽ It must have / discouraged him / and negatively affected /
그것은 틀림없다   그를 낙담하게 했다   그리고 부정적으로 영향을 미쳤음에
          과거분사 1   과거분사 2

his performance.
그의 업무 수행에

해석 리더는 어떻게 사람들이 (스스로가) 중요하다고 느끼도록 만드는
가? 첫째, 그들의 말을 듣는 것에 의해서이다. 당신이 그들의 생
각을 존중한다는 것을 그들이 알게 하라. 그리고 그들이 그들의
의견을 말하게 하라. 더해지는 보너스로 당신은 무언가를 배울 수
있을지 모른다! 내 친구가 "당신이 내게 말할 수 있는 것에 내가
전에 이미 생각한 적이 없는 것은 없어요. 내가 묻지 않으면 당신
이 생각하는 것을 나에게 절대 말하지 마세요. 이해했습니까?"라
고 그의 관리자 중 한 사람에게 말한 큰 회사의 CEO에 대해 말해
준 적이 있었다. 관리자가 느꼈음에 틀림없을 자존감의 상실을 상
상해 보라. 그것은 그를 낙담하게 했고 그의 업무 수행에 부정적
으로 영향을 미쳤음에 틀림없다.

해설 **01** 선행사가 관계사절에서 주어 역할을 하고 있다.

02 관계대명사 what은 '~한 것'으로, unless는 '만약 ~하지 않
으면'으로 해석한다.

03 선행사 the loss of self-esteem을 목적격 관계대명사절
인 'that manager must have felt'가 수식하는 형태로
쓴다.

2. 구문분석 및 직독직해

❶ It's hard enough [to stick with goals {you want to
충분히 어렵다   목표를 향해 계속 가는 것 당신이 성취하기를 원하는
가주어   진주어   ↳ 목적격 관계대명사 생략

accomplish}], but sometimes we make goals [we're not even
그러나 가끔 우리는 목표를 세운다   우리가 그에 대해
                          ↳ 목적격 관계대명사 생략

thrilled about in the first place].
설레지도 않는   애초에

❷ We set resolutions / based on [what we are supposed to
우리는 결심을 세운다   우리가 해야 하는 것에 기초하여
          ↳ 과거분사구   관계대명사 what

do], or [what others think we're supposed to do], rather than
또는 다른 사람들이 생각하기에 우리가 해야 하는 것
          관계대명사 삽입어구

[what really matters to us].
우리에게 정말 중요한 것보다
관계대명사 what

❸ This makes it nearly impossible / to stick to the goal.
이것은 거의 불가능하게 한다   목표를 향해 계속 가는 것을
          가목적어   진목적어

❹ For example, reading more is a good habit, / but if you're
예를 들어,   책을 더 많이 읽는 것은 좋은 습관이다   그러나 당신이

only doing it / because you feel like that's [what you're
단지 그것을 하고 있다면   당신이 그것이 당신이 해야 하는 일이라
                          관계대명사 what

supposed to do], not because you actually want to learn
생각하기 때문에   당신이 실제로 더 많이 배우고 싶기 때문이 아니라

more, / you're going to have a hard time / reaching the goal.
          당신은 어려움을 겪을 것이다   목표에 이르는 것에
          have a hard time -ing: ~하는 데 어려움을 겪다

❺ Instead, make goals / based on your own values.
대신,   목표를 세워라   당신의 가치에 기초해서
          명령문
                    ┌ 접속사(say의 목적절)
❻ Now, this isn't to say [that you should read less].
자, 이것은 말하기 위함이 아니다 당신이 더 적게 읽어야 한다고
          be to 용법(의도)

❼ The idea is to first consider [what matters to you], then
그 생각은 우선 고려하는 것이다   당신에게 중요한 것   그리고 나서
                          관계대명사 what

figure out [what you need to do / to get there].
생각해 내는 것이다 당신이 할 필요가 있는 것을 목표에 이르기 위해
          관계대명사 what   부사적 용법(목적)

해석 당신이 성취하기를 원하는 목표를 향해 계속 가는 것은 충분히 어
렵지만, 가끔 우리는 애초에 우리가 그에 대해 설레지도 않는 목
표를 세운다. 우리는, 우리에게 정말 중요한 것보다, 우리가 해야
하는 것, 또는 다른 사람들이 생각하기에 우리가 해야 하는 것에
기초하여 결심을 세운다. 이것은 목표를 향해 계속 가는 것을 거
의 불가능하게 한다. 예를 들어, 책을 더 많이 읽는 것은 좋은 습
관이지만, 당신이 실제로 더 많이 배우고 싶기 때문이 아니라, 단
지 그것이 당신이 해야 하는 일이라 생각하기 때문에 그것을 하고
있다면 당신은 목표에 이르는 것에 어려움을 겪을 것이다. 대신,
당신의 가치에 기초해서 목표를 세워라. 자, 이것은 당신이 더 적
게 읽어야 한다고 말하기 위함이 아니다. 그 생각은 당신에게 중
요한 것을 우선 고려하고, 그리고 나서 목표에 이르기 위해 당신
이 할 필요가 있는 것을 생각해 내는 것이다.

해설 **01** 선행사 goals 다음에 목적격 관계대명사 which 또는 that
이 생략된 형태이다.

02 '~한 것'이라는 의미의 관계대명사 what을 사용한다.

03 선행사가 없으면 관계대명사 what을 사용한다.

Unit 09 접속사

문법 확인
p. 68

접속사 **①** 등위접속사 **②** 종속절 **③** 짝

접속사가 이끄는 절 **④** 명사 **⑤** 부사 **⑥** 목적어 **⑦** 보어

⑧ 이유

개념 마무리 OX (1) ✕ (2) ○ (3) ○

실전어법 개념확인
p. 69

Point **①** 완전한 / **1** that

Point **②** 부사절, 시간, 조건 / **2** unless

Point **③** 전치사, 「주어+동사 ~」 / **3** because

Point **④** 등위접속사, 병렬구조, and, but (also) /
4 shaking **5** stop

어법 REVIEW 1 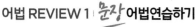 어법연습하기
pp. 70~71

A
1 that ▶ 뒤에 완전한 형태의 문장이 오므로 명사절을 이끄는 접속사 that

2 so that ▶ 의미상 목적을 나타내는 부사절을 이끄는 접속사 so that

3 that ▶ 뒤에 완전한 형태의 문장이 오므로 명사절을 이끄는 접속사 that

4 that ▶ '너무 ~해서 …하다'라는 의미로 결과를 나타내는 so ~ that …

5 During ▶ 뒤에 명사가 오므로 전치사 during

6 what ▶ 뒤에 목적어가 없는 불완전한 문장이 오므로 관계대명사 what

7 abandoning ▶ 등위접속사 or에 의해 병렬구조를 이루도록 앞의 modifying과 같은 형태인 abandoning

B
1 ○ ▶ '~ 전에'라는 의미로 시간을 나타내는 접속사 before가 바르게 쓰임

2 Because of ▶ 뒤에 명사구가 오므로 because of

3 although〔though〕 ▶ 뒤에 「주어+동사 ~」 형태의 절이 오므로 접속사 although〔though〕

4 what ▶ 뒤에 주어가 없는 불완전한 문장이 오므로 선행사를 포함하는 관계대명사 what

5 allowed ▶ 등위접속사 and에 의해 병렬구조를 이루도록 앞의 misheard, told와 같은 형태인 allowed

6 ○ ▶ 문맥상 부정어를 포함하는 조건의 접속사 unless가 바르게 쓰임

7 in emerging economies ▶ both A and B는 병렬구조를 이루므로 both 뒤의 in the West와 같은 형태인 in emerging economies

해석

A
e.g. 연구는 적당한 운동이 감기의 지속 기간이나 심각성에 영향을 미치지 않는다는 것을 보여 준다.

1 그녀가 멋져 보이고 기분이 정말 좋겠다고 그녀에게 말하고 싶을 것이다.

2 모든 사람들 역시 크게 웃을 수 있게 여러분이 좋아하는 것을 친구들 및 가족과 공유해라.

3 그는 미덕이 있다는 것은 균형을 찾는 것을 의미한다고 주장했다.

4 그럼에도 불구하고, 그는 너무 화가 나서 바로 그 첫날 동안 37개의 못을 박았다.

5 뇌우가 몰아치는 동안, 구름이 서로 마찰을 할 때 전기를 띠게 될 수 있다.

6 호기심은 당신이 바라보는 것에 가치를 더하는 한 방법이다.

7 필요할 때, 당신의 비전을 수정하거나 심지어 그것을 버리는 것은 잘못된 것이 아니다.

B
e.g. 창가에서 작업하거나 책상 전등에 있는 모든 파장이 있는 전구를 사용하여 실험해 보아라.

1 그리스인들은 계산기가 사용 가능하기 훨씬 전에 수학, 기하학, 미적분학을 이해했다.

2 이 공적인 자금 조달의 체계 때문에 규제와 정책들은 정보의 원천의 다양성을 보장하도록 고안되어 있다.

3 현실은, 여러분이 선택할 자유가 있음에도 불구하고, 여러분이 한 선택의 결과를 선택할 수는 없다는 것이다.

4 사회과학자들은 그들에게 마땅히 기대되어졌을지도 모르는 것을 달성하는 데 실패했다.

5 그는 철자를 잘못 말했지만, 심판은 잘못 듣고 철자를 맞혔다고 말했고 그가 (다음 단계로) 진출하도록 허락했다.

6 양쪽 모두가 상대방이 제공하는 것을 원하지 않으면, 거래는 발생하지 않는다.

7 서구와 신흥 경제 국가 모두에서 이러한 것들은 모두 막다른 길이라는 것을 인식하는 사람들이 매일 늘어나고 있다.

> **A** 1 (A) Because (B) what (C) that
>   2 (A) expressed (B) that
>
> **B** 3 ①   4 ③
>
> **C** 1 (A) that (B) what   2 (A) after (B) made
>
> **D** 3 ②   4 ④

A

1 Kenge가 지평선의 광경을 제공하지 않는 무성한 정글에서 평생을 살았기 때문에, 그는 우리 대부분이 당연하게 여기는 것, 즉 사물이 멀리 있을 때 달라 보인다는 것을 배우지 못했다.

▶ (A) 뒤에 'Kenge had lived'의 「주어+동사 ~」 형태가 오므로 부사절을 이끄는 접속사 because가 적절하다.
(B) 뒤에 목적어가 없는 불완전한 문장이 오므로 관계대명사 what이 적절하다.
(C) 뒤에 완전한 형태의 문장 things look different가 오므로 명사절을 이끄는 접속사 that이 적절하다.

2 나는 눈물이 터져 나오는 충동을 가까스로 참았고, 이 모든 시간이 지난 후 이 일이 일어난 것에 대한 기쁨과 즐거움 그리고 오랫동안 어려움 속에서 함께한 내 딸들과 가족에게 감사를 표현했다.

▶ (A) 등위접속사 and에 의해 동사가 병렬구조를 이루도록 앞의 managed와 같은 형태인 expressed가 적절하다.
(B) 뒤에 this had happened의 완전한 형태의 문장이 온 동격의 that이 적절하다.

B

3 때때로, 친구들이 당신에게 그들이 행복하거나 슬프다고 말할지도 모르지만, 당신에게 말하지 않는다고 해도, 나는 당신이 그들이 어떤 기분을 느끼고 있는지에 대해 추측을 잘 할 수 있을 것이라고 확신한다. 당신은 그들이 사용하는 목소리의 어조로부터 단서를 얻을지도 모른다.

▶ ① → that / 뒤에 「주어+동사+보어」로 완전한 형태의 문장이 오므로 tell의 목적어 역할을 하는 명사절을 이끄는 접속사 that으로 고쳐야 한다.

4 아이들은 창의적이고 즉각적인 언어 놀이에서 즐거움을 찾고, 실없는 말을 해 놓고 웃기도 하고, 언어 놀이의 속도, 타이밍, 방향, 흐름에 대한 주도권을 가질 수 있는 것이 필요하다. 아이들이 자신의 언어 놀이를 발전시키도록 허용할 때, 광범위한 이점이 이어진다.

▶ ③ → to have / 등위접속사 and에 의해 병렬구조를 이루도록 to delight, to say, to make와 같은 형태인 to have로 고쳐야 한다.

C

1 여러분은 결국 정보의 홍수에 빠지게 될 것이고, 나중에야 비로소 그 조사의 대부분이 시간 낭비였다는 것을 깨닫게 될 것이다. 이러한 문제를 피하기 위해서, 여러분은 정보 수집을 시작하기 전에 문제 해결 설계 계획을 세워야 한다. 그 설계 계획에서, 여러분은 해결하려는 문제를 분명히 하고, 여러분의 가설을 진술하고, 그 가설들을 증명하는 데 필요한 것을 열거한다.

▶ (A) 뒤에 완전한 형태의 문장이 오므로 명사절을 이끄는 접속사 that이 적절하다.
(B) 앞에 선행사가 없고 뒤에 주어가 없는 불완전한 문장이 오므로 선행사를 포함하는 관계대명사 what이 적절하다.

2 George Boole은 1815년 영국 Lincoln에서 태어났다. Boole은 아버지의 사업이 실패한 후 16세의 나이에 학교를 그만두게 되었다. 그는 수학, 자연 철학, 여러 언어를 독학했다. 그는 독창적인 수학적 연구를 만들어 내기 시작했고 수학 분야에서 중요한 공헌을 했다.

▶ (A) 문맥상 '~ 후에'라는 뜻의 시간의 부사절을 이끄는 접속사 after가 적절하다. so that은 '~하도록, ~하기 위하여'의 목적의 부사절을 이끄는 접속사이다.
(B) 등위접속사 and에 의해 병렬구조를 이루도록 began과 같은 형태인 made가 적절하다.

D

3 그들은 다른 사람들이 제시하는 것을 존중한다는 것을 분명히 하기 때문에 다른 사람들에게 호감을 사고 존경받는 경향이 있다. 지적으로 겸손한 사람들은 더 많은 것을 배우고 싶어 하고 다양한 출처로부터 정보를 찾는 것에 개방적이다.

▶ ② → that / 뒤에 「주어+동사+목적어(what절)」의 완전한 형태의 문장이 오므로 명사절을 이끄는 접속사 that으로 고쳐야 한다.

4 관객이 자신이 원하는 어느 곳이든 자유롭게 볼 수 있기 때문에 무대 위에서는 (관객의) 집중이 훨씬 더 어려운 일이다. 무대 감독은 관객의 관심을 얻어서 그들의 시선을 특정한 장소나 배우로 향하게 해야만 한다. 이것은 조명, 의상, 배경, 목소리, 움직임을 통해 이루어질 수 있다. (관객의) 집중은 단지 한 명의 배우에게 스포트라이트를 비추거나, 한 명의 배우는 빨간색으로 입히고 다른 모든 배우들은 회색으로 입히거나, 다른 배우들이 가만히 있는 동안 한 명의 배우는 움직이게 함으로써 얻어질 수 있다.

▶ ④ → while / 뒤에 「주어+동사+보어 ~」 형태가 오므로 부사절을 이끄는 부사절을 이끄는 접속사 while로 고쳐야 한다.

1 **01** what / 뒤에 오는 문장이 목적어가 없는 불완전한 문장이므로 관계대명사 what이 적절하다. **02** Unless / 문맥상 '당신이 특별하게 재능이 있는 것이 아니라면'이라는 뜻이므로 부정어를 포함하는 조건의 접속사 unless **03** the skills of coordinating what your mind perceives with the movement of your body parts

2 **01** Although(though) / 뒤에 「주어+동사 ~」 형태의 절이 오므로 양보의 접속사 although 또는 Though로 고쳐 써야 한다. **02** noticed that his goats did not sleep at night **03** when / 문맥상 '그가 그것을 마셨을 때'라는 의미가 되어야 자연스러우므로 시간의 부사절을 이끄는 접속사 when이 적절하다.

1. 구문분석 및 직독직해

❶ Imagine in your mind / one of / your favorite paintings,
　마음속으로 상상하라　　～ 중 하나를　당신이 좋아하는 회화,
　명령문　　　　　　　one of+　　　　　복수 명사

drawings, cartoon characters / or something equally complex.
소묘, 만화의 등장인물들　　　　　또는 똑같이 복잡한 어떤 것
　　　　　　　　　　　　등위접속사　something을 뒤에서 수식

❷ Now, / with that picture in your mind, / try to draw [what
이제　그 그림을 마음속에 두고　　　　　그려 보라
　　　　　　　　　　　　　　　　　선행사를 포함하는 관계대명사 what
your mind sees].
당신의 마음이 보는 것을
불완전한 형태의 문장(목적어 없음)

❸ Unless you are unusually gifted, / your drawing will look
당신이 특별하게 재능이 있는 것이 아니라면　당신의 그림은
부사절 접속사(= If ~ not)

completely different from [what you are seeing with your
~와 완전히 다르게 보일 것이다　당신이 마음의 눈으로 보고 있는 것과
선행사를 포함하는 관계대명사 what + 불완전한 문장

mind's eye].

❹ However, / if you tried to copy the original / rather than
하지만　　원본을 베끼려 한다면　　rather than
　　　　if+주어+동사의 과거형

your imaginary drawing, / you might find / your drawing now
당신의 상상 속의 그림보다　　당신은 발견할 것이다　당신의 그림이 이제
　　　　　　　　　　　　　주어+조동사의 과거형+동사원형

was a little better.
약간 더 나아진 것을
　　　　　　┌ 가정법 과거
❺ Furthermore, / if you copied the picture many times, /
게다가　　　그 그림을 여러 번 베낀다면
　　　　　　　if+주어+동사의 과거형
　　　　　　　명사절 접속사　　　┌ 완전한 형태의 문장 ┐
you would find / that each time your drawing would get a little
당신은 알게 될 것이다 / 매번 당신의 그림이 좀 더 나아지고
주어+조동사의 과거형+동사원형　　　　주어　　　동사　　　보어

better, / a little more accurate.
　　　　　좀 더 정확해지는 것을

❻ Practice makes perfect.
연습하면 완전해진다.

❼ This is [because you are developing / the skills of
이것은　　발달되고 있기 때문이다　　조화시키는
　　　　　보어절

coordinating {what your mind perceives / with the
능력이　　　마음이 인식한 것과
동명사　선행사 포함 관계대명사+S+V(불완전한 문장)

movement of your body parts}].
신체 부위의 움직임을

해석 좋아하는 회화, 소묘, 만화의 등장인물이나 그 정도로 복잡한 어떤 것 중 하나를 마음속으로 그려 보라. 이제 그 그림을 염두에 두고 마음이 본 것을 그리려고 애써 보라. 특별하게 재능이 있는 것이 아니라면, 당신이 그린 그림은 당신이 마음의 눈으로 보고 있는 것과 완전히 다르게 보일 것이다. 하지만 당신의 상상 속의 그림보다 원본을 베끼려고 애쓴다면, 당신은 당신의 그림이 좀 더 나아졌다는 것을 알게 될 것이다. 게다가, 그 그림을 여러 번 베낀다면, 매번 여러분의 그림이 좀 더 나아지고 좀 더 정확해질 거라는 것을 알게 될 것이다. 연습하면 완전해진다. 이것은 마음이 인식한 것과 신체 부위의 움직임을 조화시키는 능력이 발달되고 있기 때문이다.

해설 **01** what 다음에 your mind sees의 「주어+동사」만 있고 목적어가 없다.

　　　02 unless = if ~ not

　　　03 '마음이 인식한 것'은 관계대명사 what을 써서 what your mind perceives로 쓸 수 있고, '조화시키는 기술'은 the skills of coordinating A with B로 쓸 수 있다.

2. 구문분석 및 직독직해

❶ Although humans have been drinking coffee / for centuries, /
사람들은 커피를 마셔왔지만　　　　　　　수세기 동안
비록 ~이지만 (양보의 접속사) 현재완료진행 시제

it is not clear / just where coffee originated / or who first
분명하지 않다　단지 어디서 커피가 유래했는지　혹은 누가 그것을 처음
it 가주어　　where/who 진주어(간접의문문 어순) 등위접속사 병렬구조
　　　　　　　「의문사+주어+동사」

discovered it.
발견했는지는

❷ However, / the predominant legend has it that / a goatherd
그러나　　　　유력한 전설에 따르면　　　　　한 염소지기가
역접의 접속부사　legend has it (that): 전설에 따르면

discovered coffee / in the Ethiopian highlands.
커피를 발견했다　　에티오피아 고산지에서

❸ Various dates / for this legend / include 900 BC, 300 AD,
다양한 시기는　　이 전설에 대한　　기원전 900년, 기원후 300년,
주어　　　　　　　　　　　　　　동사

and 800 AD.
그리고 기원후 800년을 포함한다

❹ Regardless of the actual date, / it is said / that Kaldi, the
실제 시기와 상관없이　　　　　　~이라고 한다　염소지기인 Kaldi가
~와 상관없이 (뒤에 명사(구))　　it is said that: ~이라고 한다

goatherd, noticed / that his goats did not sleep / at night /
　　　　발견했다　그의 염소들이 잠을 자지 않았다는 것을　밤에
주어　　　동사　　명사절을 이끄는 접속사 that(목적어 역할)

after eating berries / from what would later be known as a
열매를 먹은 후　　　　후에 커피나무라고 알려진 나무로부터
시간의 전치사(~ 후에)+동명사　선행사를 포함하는 관계대명사　~으로 알려지다

coffee tree.

❺ When Kaldi reported / his observation / to the local
Kaldi가 보고했을 때　　그의 관찰 내용을　　그 지역 수도원에
시간의 접속사(부사절)+주어+동사

monastery, / the abbot became the first person / to brew a
그 수도원장은 첫 번째 사람이 되었다　한 주전자의 커피를 우려낸
　　　　　　　　　　　　　　　　　　　　⌐ to부정사(수식)
　　　　　　　　　　　　　　　　　　　　to부정사 1

pot of coffee / and note its flavor and alerting effect / when he
그리고 그것의 풍미와 각성 효과를 알아차린　그가 그것을 마셨을 때
　　　　(to) note　　　　　　　　　　시간의 접속사+주어+동사
　　　　⌐ to부정사 2

drank it.

❻ 〈Word / of the awakening effects and the pleasant taste / of
소문은　　잠을 깨우는 효과와 좋은 풍미에 대한
긴 주어〈 〉　　　　　　　　　　등위접속사 병렬구조

this new beverage〉 / soon spread / beyond the monastery.
이 새로운 음료의　　　이내 널리 퍼졌다　수도원 너머로
　　　　　　　　　　동사

해석 수세기 동안 사람들은 커피를 마셔왔지만, 단지 어디서 커피가 유래했는지 혹은 누가 그것을 처음 발견했는지는 분명하지 않다. 그러나 유력한 전설에 따르면 한 염소지기가 에티오피아 고산지에서 커피를 발견했다. 이 전설에 대한 다양한 시기는 기원전 900년, 기원후 300년, 기원후 800년을 포함한다. 실제 시기와 상관없이, 염소지기인 Kaldi가 그의 염소들이 후에 커피나무라고 알려진 나무로부터 열매를 먹은 후 밤에 잠을 자지 않았다는 것을 발견했다고 한다. Kaldi가 그 지역 수도원에 그의 관찰 내용을 보고했을 때, 그 수도원장은 한 주전자의 커피를 우려내고, 그가 그것을 마셨을 때 그것의 풍미와 각성 효과를 알아차린 첫 번째 사람이 되었다. 이 새로운 음료의 잠을 깨우는 효과와 좋은 풍미에 대한 소문은 이내 수도원 너머로 널리 퍼졌다.

해설 **01** in spite of+명사(구)나 동명사(구) / although(though)+절(주어+동사 ~)

　　　02 noticed의 목적어 역할을 하는 명사절을 이끄는 접속사 that을 사용하여 쓴다.

　　　03 문맥상 '~할 때'라는 의미의 부사절이 와야 한다.

Unit 10 명사와 대명사

문법 확인 p. 76

셀 수 있는 명사 vs. 셀 수 없는 명사 ❶ 복수형 ❷ 있다
❸ lot ❹ a little ❺ few
대명사 it의 여러 가지 쓰임 ❻ 비인칭 주어 ❼ 가목적어
❽ 강조
개념 마무리 OX (1) × (2) × (3) ○

실전어법 개념확인 p. 77

Point ❶ a[an], information, news, luggage, equipment, both, every, little, 단수 동사, some, plenty of / 1 people
Point ❷ 인칭, 격 / 2 his, hers
Point ❸ one[ones], 반복, the other, 나머지 하나, one, 일부, the others, 복수 명사, 없는 / 3 that
Point ❹ 목적격, 없다, 강조, 있다 / 4 himself

어법 REVIEW 1 문장 어법연습하기 pp. 78~79

A

1 it ▶ 단수 명사인 that question을 받는 단수 대명사
2 (A) is (B) information ▶ (A) 「each+단수 명사」는 단수 취급 (B) 셀 수 없는 명사는 복수형 불가
3 themselves ▶ 다른 사람들과 '그들 자신'이 갈등을 겪는 것이므로 재귀대명사
4 occurs ▶ much of learning이 셀 수 없는 명사이므로 단수 취급
5 themselves ▶ '그들 자신'을 평민들과 구분하는 것이므로 재귀대명사
6 every ▶ every+단수 명사 / all+복수 명사[셀 수 없는 명사]
7 is ▶ news는 '뉴스, 소식'이라는 의미의 셀 수 없는 명사로 단수 취급

B

1 they ▶ the people을 받는 복수 대명사
2 them ▶ collect의 주체는 the nets이고 목적어는 microplastics로 서로 다름

3 water ▶ water는 셀 수 없는 명사로 복수형 불가
4 ones ▶ 불특정 다수를 나타낼 때는 복수형 ones
5 them ▶ 복수 명사인 past failures를 받는 복수 대명사
6 are ▶ goods는 '재화, 상품'이라는 의미로 항상 복수형
7 their ▶ '그들 자신의' 문제라는 의미이나 뒤에 명사가 이어지므로 소유격 대명사

해석

A

e.g. 몇 분 동안 방에 머무르면, 그 냄새는 사라지는 것 같을 것이다.

1 당신은 그 질문을 가지고 그것에 답하는 새로운 방법을 생각해 내게 된다.

2 각 수업은 10명의 아이들로 제한됩니다. 더 많은 정보를 원하시면, 우리 웹사이트 www.miltondance.com을 방문하세요.

3 그러한 개인들은 좌절감을 느끼기 쉽고 다른 사람들 그리고 자신들과의 갈등을 겪을 가능성이 높다.

4 학습의 많은 부분은 시행착오를 통해서 일어난다.

5 그들 자신과 다른 평민들을 구분하기 위하여, 이 사람들은 새로운 말하기 방식을 개발해 냈는데, 이는 그들을 분리시키고 그들의 새롭고, 높아진 사회적 지위를 드러내기 위함이었다.

6 현재를 살아가는 모든 어른들이 삶의 어느 순간 다음 표현의 다양한 변형을 사용하거나 다른 사람으로부터 들어보았을 것이라고 생각하는 것은 온당하다. "그 모든 시간이 어디로 갔지?"

7 좋은 소식은, 결국 10년 후에 여러분이 다다르게 될 곳이 여러분에게 달려 있다는 것이다.

B

e.g. 그 감정 자체는 그것이 일어나는 상황과 연결되어 있다.

1 그 사람들은 캥거루 같은 꼬리가 있고 무릎이 없는 것을 싫어했으며, 도움을 얻고자 하늘에 외쳤다.

2 이러한 미세 플라스틱은 일단 그것들을 수거하는 데 일반적으로 사용되는 그물망을 통과할 만큼 충분히 작아지면 측정하기가 매우 어렵다.

3 우리는 여러분이 원하는 만큼 식수를 제공해 드릴 것입니다.

4 만약 우리가 사랑하는 사람들 또는 우리 동료들과의 해결되지 않는 문제를 가지고 있다면, 우리가 문제를 해결하고 조화의 상태로 돌아갈 때까지 그것은 우리를 괴롭힌다.

5 많은 사람들이 과거의 실패에 근거하여 미래에 일어날 수 있는 일들에 대해 생각하고 그것에 사로잡힌다.

6 이 모든 재화들은 공유되며, 공동체 의식은 모든 참여자들을 더 행복하게 만든다.

7 매일의 삶에서 우리는 흔히 사람들이 그들 자신의 문제를 '만들어 내는' 것을 비난한다.

어법 REVIEW 2 짧은 지문 어법연습하기 pp. 80~81

> **A** 1 those 2 (A) are (B) seems
>
> **B** 3 ③ 4 ①
>
> **C** 1 (A) are (B) water 2 (A) their (B) themselves
>
> **D** 3 ③ 4 ②

A

1 친한 친구들과 함께 서 있었던 참가자들은 혼자이거나, 낯선 사람 옆이거나, 또는 새로 사귄 친구 옆에 서 있었던 사람들보다 그 언덕의 경사도를 상당히 더 낮게 추정했다.

▶ 앞에 나온 복수 명사 the participants의 반복을 피하기 위한 지시대명사로 복수형 those가 적절하다.

2 의심의 여지없이, 공룡은 세계 전역에서 아이들에게 인기가 있는 주제이다. 오래전 멸종된 이 생명체에 관한 무언가가 남녀노소를 불문하고 거의 모든 사람의 관심을 사로잡는 것처럼 보인다.

▶ (A) 주어 dinosaurs가 셀 수 있는 명사의 복수형이므로 복수 동사 are가 적절하다.
(B) 문장의 주어는 something이므로 3인칭 단수 동사 seems가 적절하다.

B

3 대부분의 박테리아는 우리에게 유익하다. 어떤 것은 우리의 소화 기관에 살면서 우리가 음식을 소화시키는 것을 도와주고, 어떤 것은 주변에 살면서 우리가 지구에서 숨 쉬고 살 수 있도록 산소를 만들어 낸다. 하지만 불행하게도, 몇몇 이런 훌륭한 생명체들이 때로는 우리를 병들게 할 수 있다.

▶ ③ → a few / 수식을 받는 these wonderful creatures가 셀 수 있는 명사의 복수형이므로 '약간의'라는 뜻으로는 a few로 고쳐야 한다.

4 교육이나 지식은 아무리 많이 있어도 지나치지 않다. 실상은 대부분의 사람들은 평생 아무리 많은 교육을 받아도 지나치지 않을 거라는 것이다. 나는 교육을 너무 받아서 삶에서 피해를 본 사람을 아직 본 적이 없다. 오히려, 우리는 매일, 전 세계에서 교육의 부족으로 인해 생긴 수많은 피해자들을 본다.

▶ ① → much / 수식을 받는 education or knowledge가 셀 수 없는 명사이므로 '많은'의 뜻으로 much로 고쳐야 한다.

C

1 바다 속에 있는 대부분의 플라스틱 조각들은 매우 작기 때문에 바다를 청소할 실질적인 방법은 없다. 비교적 적은 양의 플라스틱을 수거하기 위해 엄청난 양의 물을 여과해야 할 수도 있다.

▶ (A) 주어가 most of the plastic particles이므로 복수 동사 are가 적절하다.
(B) water는 셀 수 없는 명사이므로 복수형을 쓸 수 없다.

2 아이들은 대부분 본보기에 의해 배운다. 그들은 그들의 부모와 그들보다 나이가 많은 형제자매들을 본받아 자신의 행동을 형성한다. 따라서 훌륭한 역할 모델이 되어 집에서 그리고 가족 외식을 할 때 건강한 먹기의 환경을 조성해라. 말보다 행동이 중요하다. 당신의 아이가 스스로 그들에게 무엇이 좋은지 알 것이라고 기대하지 마라.

▶ (A) '그들 자신의' 행동이라는 의미로, 뒤에 이어지는 명사로 보아 소유격 대명사가 적절하다.
(B) for oneself: 스스로, 혼자

D

3 책을 읽지 않는 아이들의 가장 큰 불만은 그들에게 흥미를 일으키는

어떤 읽을거리도 그들이 찾을 수 없다는 것이다. 부모인 우리가 우리 아이들이 자신들을 설레게 하는 장르를 찾도록 도와주는 일을 더 잘할 필요가 바로 여기에 있다. 여러분의 학교 사서가 여러분에게 익숙하지 않은 새로운 읽을거리를 선택할 수 있도록 도울 수 있다. 또한, 여러분이 아이였을 때 좋아했던 책들을 회상해 보라. 남편과 나, 둘 다 Beverly Cleary가 쓴 책들을 좋아했고 결국 우리 아이들도 그 책들을 사랑하게 되었다.

▶ ③ → them / excite의 대상이 되는 목적어는 kids이므로 them으로 고쳐야 한다.

4 반면에, 일본인들은 자신과 매우 친한 소수의 사람들을 제외하고는 타인에게 자신에 대해 거의 공개하지 않는 경향이 있다. 일반적으로, 아시아인들은 낯선 이에게 관심을 내보이지 않는다. 그러나 그들은 조화를 관계 발전에 필수적이라고 간주하기 때문에 서로를 매우 배려하는 모습을 보인다. 그들은 자신이 불리하다고 생각하는 정보를 외부인이라고 간주되는 사람들이 얻지 못하도록 열심히 노력한다.

▶ ② → themselves / '(그들) 자신에 대해'라는 의미이므로 재귀대명사 themselves로 고쳐야 한다.

어법 REVIEW 3 서술형내신 어법연습하기 pp. 82~83

> 1 01 it / a restaurant를 받는 대명사 02 Which one are you more likely to enter, the empty one or the other one? 03 다른 사람들은 한 식당은 텅 비어 있고 다른 식당은 여덟 명이 있는 것을 보게 된다.
>
> 2 01 Are you honest with yourself about your strengths and weakness? 02 ⓒ → it / 지시대명사가 가리키는 것은 단수형인 your social image 03 stop lying to yourself about what is going on

1. 구문분석 및 직독직해

❶ We are more likely / to eat / in a restaurant / if we know /
우리는 가능성이 더 많다   식사할   그 식당에서   우리가 알게 되면
~할 가능성이 많다   접속사(부사절~조건)

that it is usually busy.
어떤 그 식당이 대체로 붐빈다는 것을
    = a restaurant

❷ Even when nobody tells us / a restaurant is good, / our
아무도 우리에게 말하지 않을 때조차   어떤 식당이 좋다고   우리의
~조차 접속사(부사절)

herd behavior determines / our decision-making.
우리의 무리 행동은 결정한다   우리의 의사를
    (접속사 that 생략)

❸ Let's suppose ∨ [you walk / toward two empty restaurants].
당신이 걸어가고 있다고 가정하자 두 개의 텅 빈 식당 쪽으로

❹ You do not know / which one to enter.
당신은 모른다   어느 곳에 들어가야 할지
                  의문사+to부정사

❺ However, / you suddenly see / a group of six people enter /
하지만   당신은 갑자기 보게 된다 여섯 명의 무리가 들어가는 것을
                  지각동사+목적어+목적격 보어(동사원형)

one of them.
둘 중 하나의 식당으로.
one of+복수 명사: ~ 중 하나

⑥ Which one / are you more likely / to enter, / the empty one /
　　어느 곳에　　가능성이 더 많을까　　들어갈　　텅 빈 식당
　　Which (= restaurant) ~ A or B?(선택의문문)　　(둘 중) 하나

or the other one?
혹은 나머지 식당
(둘 중) 나머지 하나

⑦ Most people / would go into the restaurant / with people
　　대부분의 사람들은　　식당에 들어갈 것이다　　안에 사람들이 있는
　　豳 대부분의

in it.

⑧ Let's suppose [you and a friend go into that restaurants].
　　가정하자　　당신과 친구가 그 식당 안에 들어간다고
　　　　(접속사 that 생략)

⑨ Now, / it has eight people / in it.
　　이제　　여덟 명이 있다　　그 식당 안에는

⑩ Others see [that one restaurant is empty / and the other
　　다른 사람들은 보게 된다　　한 식당은 비어 있고　　다른 식당은
　　부정대명사　　접속사(명사절)

has eight people / in it].
여덟 명이 있는 것을　　그 안에
one ~, the other …: 하나는 ~, 나머지 하나는 …

⑪ So, / they decide / to do the same / as the other eight.
　　그래서 그들은 결정한다　　같은 행동을 하기로　　다른 여덟 명과
　　　　　　　　　　　~와 같은 것을

해석 어떤 식당이 대체로 붐빈다는 것을 알게 되면 우리가 그 식당에서 식사할 가능성이 더 많다. 아무도 우리에게 어떤 식당이 좋다고 말하지 않을 때조차도, 우리의 무리 행동은 우리의 의사를 결정한다. 당신이 두 개의 텅 빈 식당 쪽으로 걸어가고 있다고 가정하자. 당신은 어느 곳에 들어가야 할지 모른다. 하지만, 갑자기 당신은 여섯 명의 무리가 둘 중 하나의 식당으로 들어가는 것을 보게 된다. 당신은 텅 빈 식당 혹은 나머지 식당 중, 어느 곳에 들어갈 가능성이 더 많을까? 대부분의 사람들은 안에 사람들이 있는 식당에 들어갈 것이다. 당신과 친구가 그 식당에 들어간다고 가정하자. 이제, 그 식당 안에는 여덟 명이 있다. 다른 사람들은 한 식당은 텅 비어 있고 다른 식당은 그 안에 여덟 명이 있는 것을 보게 된다. 그래서, 그들도 다른 여덟 명과 같은 행동을 하기로 결정한다.

해설 **01** 문맥상 앞의 명사 a restaurant을 받는 단수 대명사 it이 적절하다.

02 '~할 것 같다'는 「be likely to+동사원형」으로 쓰고, '(둘 중) 하나'는 one, '나머지 하나'는 the other로 쓴다.

03 others는 '다른 사람들'을 의미한다. 「one ~, the other …」는 '하나는 ~, 다른 하나는 …'이라는 의미이다.

2. 구문분석 및 직독직해

❶ Are you honest / with yourself / about your strengths and
　　당신은 정직한가　　스스로에게　　당신의 강점과 약점에 대하여

weaknesses?

❷ Get to really know yourself / and learn / what your
　　스스로에 대해 확실히 알고　　파악하라　　간접의문문
　　　　　　　　　재귀 용법

weaknesses are.
당신의 약점이 무엇인지를

❸ Accepting your role / in your problems / means [that you
　　스스로의 역할을 받아들이는 것은　　당신의 문제에 있어　　의미한다
　　동명사구 주어+단수 동사　　　　접속사(명사절)

understand {the solution lies within you}].
이해함을　　해결책도 당신 안에 있다는 것을

❹ If you have a weakness / in a certain area, / get educated /
　　만약 당신이 약점이 있다면　　특정 분야에　　배워서

and do [what you have to do] to improve things / for yourself.
행하라　　해야만 할 것들을　　상황을 개선하기 위해　　스스로
　　관계대명사(목적어)　　부사적 용법(목적)　　스스로

❺ If your social image is terrible, / look within yourself / and
　　만약 당신의 사회적 이미지가 형편없다면　　스스로를 들여다보고
　　　　　　　　　　　　　　　　　　　　　재귀 용법

take the necessary steps / to improve it, / TODAY.
필요한 조치를 취하라　　그것을 개선하기 위해　　오늘 당장
　　　　　　　　부사적 용법(목적) = your social image

❻ You have the ability / to choose / how to respond to life.
　　당신은 능력이 있다　　선택할　　삶에 대응하는 방법을
　　　　　　형용사적 용법　　how+to부정사: ~하는 방법

❼ Decide today / to end all the excuses, / and stop lying to
　　오늘 당장 결심하고　　모든 변명을 끝내기로　　스스로에게 거짓말하는 것을 멈춰라
　　　　　　　　　　　　　　stop+동명사: ~하는 것을 멈추다

yourself / about [what is going on].
일어나는 일에 대해
관계대명사 what

❽ The beginning of growth comes / when you begin to
　　성장의 시작은 일어난다　　당신이 스스로 받아들이기 시작할 때
　　　　　　　　　　　　　接속사(부사절)

personally accept / responsibility for your choices.
　　　　　　　　자신의 선택에 대한 책임을

해석 당신은 당신의 강점과 약점에 대하여 스스로에게 정직한가? 스스로에 대해 확실히 알고 당신의 약점이 무엇인지를 파악하라. 당신의 문제에 있어 스스로의 역할을 받아들이는 것은 해결책도 당신 안에 있다는 것을 이해함을 의미한다. 만약 당신이 특정 분야에 약점이 있다면, 배워서 상황을 개선하기 위해 스스로 해야만 할 것들을 행하라. 만약 당신의 사회적 이미지가 형편없다면, 스스로를 들여다보고 그것을 개선하기 위해 필요한 조치를 취하라, 오늘 당장. 당신은 삶에 대응하는 방법을 선택할 능력이 있다. 오늘 당장 모든 변명을 끝내기로 결심하고, 일어나는 일에 대해 스스로에게 거짓말하는 것을 멈춰라. 성장의 시작은 당신이 자신의 선택에 대한 책임을 스스로 받아들이기 시작할 때 일어난다.

해설 **01** with 다음의 '스스로'라는 의미이므로 재귀대명사로 써야 한다. about 다음의 you는 뒤에 이어지는 명사로 보아 소유격 대명사로 써야 한다.

02 문맥상 앞의 명사 your social image를 받는 단수 대명사 it으로 고쳐야 한다.

03 '~하는 것을 멈추다'는 「stop+동명사」로, '스스로에게 거짓말을 하다'는 lie to oneself로, '일어나는 일'은 what is going on으로 표현한다.

Unit 11 형용사와 부사

문법 확인
p. 84

형용사 ❶ 명사 ❷ 목적격보어

부사 ❸ 형용사 ❹ 부사 ❺ 앞 ❻ 뒤

❼ sometimes ❽ never

개념 마무리 OX (1) ○ (2) × (3) ○

실전어법 개념확인
p. 85

Point ❶ 수식, 뒤, 주격보어, 보어 / 1 new

Point ❷ 형용사, 문장 전체 / 2 really

Point ❸ alone, latest, 최근에, 거의 ~ 않다 / 3 most

Point ❹ 부정어, never / 4 rarely

어법 REVIEW 1 *문장* 어법연습하기
pp. 86~87

A

1 hard ▶ 주격보어 자리에 쓰인 형용사

2 positive ▶ 동사 sound 다음에 오는 보어 자리에 쓰인 형용사

3 rapid ▶ 명사 cognition을 앞에서 수식하는 형용사

4 severely ▶ 동사 punish를 수식하는 부사

5 difficult ▶ 「make+목적어+목적격보어」의 목적격보어 자리에 쓰인 형용사

6 Interestingly ▶ 문장 전체를 수식하는 부사

7 highest ▶ 명사 number를 앞에서 수식하는 형용사

B

1 ○ ▶ 동사 hugged를 수식하는 부사

2 foolish ▶ 동사 sound 다음에 오는 보어 자리에는 형용사

3 hardly ▶ '거의 ~ 않다'라는 뜻의 부사

4 Recent ▶ 뒤의 명사 studies를 수식하는 형용사

5 ○ ▶ consider A B(형용사): A를 B하다고 여기다 (수동태)

6 (A) ○ (B) ○ ▶ (A) 명사 schools를 수식하는 형용사 (B) 동사 perform을 수식하는 부사

7 unusually ▶ gifted는 분사형 형용사로, 형용사를 수식하는 부사

A

e.g. 학교에서 모든 것이 가르쳐지는 것은 아니다!

1 내가 웨이트 벨트를 벗는 것은 힘들었다.

2 보상이 꽤 긍정적으로 들리기는 하지만, 그것은 종종 부정적인 결과로 이어질 수 있다.

3 우리 대부분은 신속하게 하는 인식을 의심한다.

4 그 경비병은 그를 부자에게 데리고 갔으며, 그 부자는 그를 호되게 벌하기로 마음먹었다.

5 변화의 느린 속도는 또한 나쁜 습관을 버리기 어렵게 만든다.

6 흥미롭게도, 2016년 관광객의 수는 두 도시 모두 10만 명 미만으로 감소했다.

7 5개 지역 중에, 동북아시아는 2017년에 관광업에 의한 직접적 일자리 창출에서 3천 49만 개로 가장 높은 수치를 보여 주었다.

B

e.g. 명백히 그 수업은 가르칠 교사와 수업을 들을 학생을 필요로 한다.

1 그녀의 어머니는 그녀를 꼭 껴안고 상처를 봤다.

2 그들은 만약 그들이 여러분의 침착함을 잃게 한다면, 여러분은 어리석게 들리는 말을 할 것이라는 것을 알고 있다.

3 나는 가라앉고 있었고 거의 움직일 수가 없었다.

4 최근의 연구는 다른 사람들과의 건강한 관계를 위한 따뜻한 신체적 접촉의 중요성을 지적한다.

5 그 소재는 기찻길과 공장과 같은 풍경의 현대화를 포함했다. 이전에는 이러한 대상이 결코 화가들에게 적절하다고 여겨지지 않았다.

6 읽기와 수학 시험에서 시끄러운 학교나 교실의 초등학생과 고등학생은 더 조용한 환경의 학생들보다 일관되게 성취 수준이 낮다.

7 특별하게 재능이 있는 게 아니라면 여러분이 그린 그림은 여러분이 마음의 눈으로 보고 있는 것과 완전히 다르게 보일 것이다.

어법 REVIEW 2 *짧은 지문* 어법연습하기
pp. 88~89

A 1 (A) neither (B) recklessly 2 (A) beautiful (B) same

B 3 ② 4 ④

C 1 (A) generally (B) usually 2 (A) classical (B) permanently (C) happily (D) definitive

D 3 ① 4 ④

A

1 아리스토텔레스는 미덕은 너무 관대하지도 너무 인색하지도, 너무 두려워하지도 너무 무모하게 용감하지도 않은 중간 지점에 있다고 말한다.

▶ (A) '결코 ~이 아닌'이라는 뜻으로, 뒤에 이어지는 nor와 짝을 이루는 neither가 적절하다.

(B) 뒤의 형용사 brave를 수식하는 부사가 적절하다.

2 모래 언덕은 바닷가 근처에 위치해 있어서 여러분은 샌드보딩과 바다의 아름다운 풍경을 동시에 즐길 수 있습니다.
▶ (A) 명사 view를 수식하는 한정적 용법의 형용사가 적절하다.
   (B) 명사 time을 앞에서 수식하는 형용사가 적절하다.

B

3 그것은 '진전된 협력 심리가 누군가가 지켜보고 있다는 미묘한 신호에 아주 민감하다,'는 것과 이 연구 결과가 사회적으로 이익이 되는 성과를 내게끔 어떻게 효과적으로 넌지시 권할 것인가를 암시한다고 말했다.
▶ ② → effective / nudges는 명사로, '슬쩍 찌르기'라는 뜻이다. 따라서 명사를 앞에서 수식하는 형용사 effective로 고쳐야 한다.

4 우리 대 그들이라는 시대에 뒤처진 이원론의 틀에 갇힌 역사적 경향은 많은 사람들이 현재 상태를 고수하도록 만들기에 충분히 강력하다. 동물들이 누구인가에 대한 부정은 동물들의 인지적, 감정적 능력에 대한 잘못된 고정관념을 유지하는 것을 편의로 허용한다.
▶ ④ → conveniently / Denial of who animals are가 문장의 주어로, 동사 allows를 수식하는 부사 conveniently로 고쳐야 한다.

C

1 소비자들은 일반적으로 높은 위험을 무릅쓰는 것을 불편해한다. 그 결과, 소비자들은 대개 위험을 줄이기 위해 많은 전략을 사용하도록 동기 부여를 받는다.
▶ (A) generally는 '일반적으로, 보통'의 의미로 쓰인 빈도부사로 볼 수 있다. be 동사 뒤에 온다.
   (B) usually는 '대개, 보통'의 뜻을 가진 빈도부사로 행동의 빈도를 나타낸다.

2 흔히 고전 동화에서 갈등은 영구적으로 해결된다. 예외 없이, 남자 주인공과 여자 주인공은 영원히 행복하게 산다. 이와 대조적으로, 많은 오늘날의 이야기들은 덜 확정적인 결말을 갖는다.
▶ (A) 뒤의 명사 fairy tale을 수식하는 형용사가 적절하다.
   (B) 뒤의 분사형 형용사 resolved를 수식하는 부사가 적절하다.
   (C) 동사 live를 수식하는 부사가 적절하다.
   (D) 뒤의 명사 ending을 수식하는 형용사가 적절하다.

D

3 이 연구에서 하나의 긍정적인 습관을 성공적으로 익힌 학생들은 더 적은 스트레스, 더 적은 충동적 소비, 더 나은 식습관, 줄어든 카페인 섭취, 더 적은 TV 시청 시간, 그리고 심지어 더 적은 (설거지를 안 한) 더러운 접시를 (갖고 있음을) 보고했다. 계속하여 충분히 오래 하나의 습관을 들이려고 노력하라, 그러면 그 습관이 더 쉬워질 뿐만 아니라 다른 일들 또한 더 쉬워진다.
▶ ① → successfully / 뒤의 동사 acquired를 수식하는 부사 successfully로 고쳐야 한다.

4 오늘날의 빠르게 진행되는 사회 속의 사람들은 필요에 의해서든 즐거움을 위해서든 이것에 참여하고 있다. 그 목적이 무엇이든 간에, 사람들은 이제 식량을 찾아다니는 것에 느리게, 그러나 확실하게 익숙해지고 있다. 점점 더 많은 사람들이 그것이 꽤 성취감을 주는 일이고, 매우 유익하다고 생각한다.
▶ ④ → beneficial / 「find+목적어(it)+목적격보어」 구조의 목적격보어 자리로, 명사구(quite a fulfilling task)와 형용사구(very beneficial)가 와야 한다. 부사는 보어 자리에 올 수 없다.

1 **01** light that shines directly into your eyes **02** Most / '대부분의 사람들'이라는 의미가 되도록 형용사 most가 적절하다. **03** Sunlight is better than artificial light.

2 **01** (a) short (b) Typically **02** casual / 뒤의 명사 observer를 수식하는 형용사가 적절하다. **03** 일단 몸이 죽으면 더 이상 글루코오스는 없다.

1. 구문분석 및 직독직해

❶ Bad lighting can increase stress / on your eyes, / as
   나쁜 조명은 스트레스를 증가시킬 수 있다   여러분의 눈에
                                          접속사
   can light [that is too bright], or light [that shines
   너무 밝은 빛처럼   또는 직접적으로 비추는 빛
   도치 구문   주격 관계대명사   주격 관계대명사
   directly / into your eyes].
   직접적으로 / 여러분의 눈에
   閉 직접적으로 (cf. direct 閉 직접적인)

❷ Fluorescent lighting can also be tiring.
   형광등 또한 피로감을 줄 수 있다
                            현재분사(보어)

❸ [What you may not appreciate] is [that the quality of light
   여러분이 모를 수도 있는 것은 ~이다   빛의 질
   선행사를 포함하는 관계대명사   명사절 접속사(보어절)
   may also be important].
   또한 중요할 수 있다는 것

❹ Most people are happiest / in bright sunshine /
   대부분의 사람들은 가장 행복하다   밝은 햇빛 속에서
   閉 대부분의 (cf. almost 閉 거의)
   — this may cause / a release of chemicals / in the body
   이것은 야기할지도 모른다   화학물질의 분비를   체내에서
   [that bring a feeling of emotional well-being].
   정서적인 행복감을 가져오는
   주격 관계대명사   형용사 ⌣

❺ Artificial light, [which typically contains only
   인공조명은   전형적으로 단지 몇 개의 빛 파장만 있는
                  관계대명사절 삽입 閉 전형적으로 (cf. typical 閉 전형적인)
   a few wavelengths of light], does not seem to have the same
   셀 수 있는 명사 수식   똑같은 효과를 가지지 않을 수 있다
   effect / on mood [that sunlight has].
            분위기에   햇빛이 갖고 있는
   선행사   목적격 관계대명사

❻ Try experimenting / with working by a window /
   실험해 보아라   창가에서 작업하거나
   try -ing: ~을 시도해 보다
   ┌ (with) 생략
   or using full spectrum bulbs / in your desk lamp.
   또는 모든 파장이 있는 전구를 사용하여 / 책상 전등에 있는
   병렬구조

❼ You will probably find [that this improves / the quality of
                           명사절 접속사(find의 목적절)
   여러분은 아마도 알게 될 것이다 이것이 향상시킨다는 것을
   your working environment].
   여러분의 작업 환경의 질을

해석 너무 밝은 빛이나, 여러분의 눈에 직접적으로 비추는 빛처럼, 나쁜 조명은 여러분의 눈에 스트레스를 증가시킬 수 있다. 형광등 또한 피로감을 줄 수 있다. 여러분이 모를 수도 있는 것은 빛의 질 또한 중요할 수 있다는 것이다. 대부분의 사람들은 밝은 햇빛 속에서 가장 행복하다 — 이것은 아마 정서적인 행복감을 주는 체내

의 화학물질을 분비시킬지도 모른다. 전형적으로 단지 몇 개의 빛 파장만 있는 인공조명이 분위기에 미치는 효과는 햇빛(이 미치는 효과)과 똑같지 않을 수 있다. 창가에서 작업하거나 책상 전등에 있는 모든 파장이 있는 전구를 사용하여 실험해 보아라. 이것이 여러분의 작업 환경의 질을 향상시킨다는 것을 아마도 알게 될 것이다.

해설 **01** directly는 동사 shines를 수식하는 부사이다.

02 almost는 '거의'라는 뜻의 부사이다.

03 빛의 질(the quality of light) 면에서 햇빛이 인공조명보다 좋은 점에 대해 설명하고 있다.

2. 구문분석 및 직독직해

---

❶ Do hair and fingernails <u>continue to grow</u> / <u>after a person</u>
　머리카락과 손톱은 계속해서 자랄까　　　　　　사람이 죽은 후에
　　　　　continue+to부정사: 계속해서 ~하다　　시간의 접속사+주어+동사
　　　　　　　　　　　　　　　　　　　　　　　부사절

<u>die</u>?

❷ The <u>short answer</u> is <u>no</u>, / <u>though it may not seem that way</u> /
　간단한 대답은 '아니다'이다　　　그것은 그렇게 보이지 않을 수도 있지만
　　　　형용사 ⌣　　　　　　　　양보의 접속사+주어+동사(부사절)

to the <u>casual observer</u>.
무심코 보는 사람에게는
　　형용사 ⌣

❸ <u>That's because</u> / after death, / the human body dehydrates, /
　그것은 ~ 때문이다　 죽음 후에　　　인간 몸에 수분이 빠진다
　뒤에「주어+동사」의 절　　　　　　　┌ (to) 생략

<u>causing</u> / the skin / <u>to shrink</u>, or ∨ become smaller.
~하게 만들면서　피부가　수축되게 또는 더 작아지게
분사구문　 cause+목적어+목적격보어(to부정사): ~으로 하여금 …하게 하다(5형식)

❹ This shrinking exposes / the parts of the nails and hair
　이러한 수축은 노출시킨다　　　손톱과 머리카락의 일부를

[<u>that</u> were once under the skin], <u>causing</u> / them / <u>to appear</u>
한때 피부 아래에 있었던　　　　　　만들면서　 그것들이
⌣ 주격 관계대명사　　　　　　　　　분사구문 / cause+목적어+to부정사

longer than before.
이전보다 길어 보이게

❺ <u>Typically</u>, / fingernails grow about 0.1 millimeters / a day, /
　일반적으로　　손톱은 약 0.1mm씩 자란다　　　　　　하루에
　문장 전체를 수식하는 부사

but <u>in order to grow</u>, / they need glucose / — a simple sugar /
하지만 자라기 위해서는　　　 그것들은 글루코오스가 필요하다　　단당
대조의 접속사 in order to부정사〈목적〉

[<u>that</u> helps / to power the body].
도와주는　　 신체에 힘을 주도록
⌣ 주격 관계대명사

❻ <u>Once the body dies</u>, / there's <u>no</u> more glucose.
　일단 몸이 죽으면　　　　더 이상 글루코오스는 없다
　부사절 접속사+주어+동사　　　 전혀 ~이 아닌〈완전부정〉

❼ So skin cells, hair cells, and nail cells / <u>no longer</u> produce /
　따라서 피부 세포, 머리카락 세포, 손톱 세포는　 더 이상 만들어 내지 않는다
　　　　　　　　　　　　　　　　　　　　　　　　　'더 이상 ~ 않다'

new cells.
새로운 세포를

❽ <u>Moreover</u>, / a complex hormonal regulation directs / the
　더욱이　　　 복잡한 호르몬 조절 시스템은 지휘한다

growth of hair and nails, / none of which is impossible / <u>once a</u>
머리카락과 손톱의 성장을　　 이 모든 것이 불가능하다
　　　　　　　　　　　 계속적 용법의 관계대명사 (앞 절의 내용 부연 설명)

person dies.
일단 사람이 죽게 되면
부사절 접속사+주어+동사

해석 사람이 죽은 후에 머리카락과 손톱은 계속해서 자랄까? 무심코 보는 사람에게는 그것은 그렇게 보이지 않을 수도 있지만, 간단

한 대답은 '아니다'이다. 그것은 죽음 후에 인간 몸에 수분이 빠지면서 피부가 수축되게 또는 더 작아지게 만들기 때문이다. 이러한 수축은 한때 피부 아래에 있었던 손톱과 머리카락의 일부를 노출시키고 그것들이 이전보다 길어 보이게 만든다. 일반적으로, 손톱은 하루에 약 0.1mm씩 자라지만 그것이 자라기 위해서는, 신체에 힘을 주도록 도와주는 단당인 글루코오스가 필요하다. 일단 몸이 죽으면 더 이상 글루코오스는 없다. 따라서 피부 세포, 머리카락 세포, 손톱 세포는 더 이상 새로운 세포를 만들어 내지 않는다. 더욱이, 복잡한 호르몬 조절 시스템은 머리카락과 손톱의 성장을 지휘하지만 일단 사람이 죽게 되면 이 모든 것이 불가능하다.

해설 **01** (a) 명사 answer를 앞에서 수식하는 형용사 short로 고쳐 써야 한다.

(b) 문맥상 문장 전체를 수식하는 부사가 필요하므로 typically로 고쳐 써야 한다.

02 casual은 '무심한, 대충하는', casually는 '우연히, 무심코, 문득'의 의미이다.

03 no는 '전혀 ~이 아닌'이라는 뜻으로, 완전부정을 나타낸다.

Unit 12 비교

문법 확인   p. 92

비교구문 ❶ 원급 ❷ as ❸ than ❹ 최상급

비교급/최상급 불규칙 변화 ❺ more ❻ least

❼ worse ❽ elder

원급/비교급을 활용한 최상급 표현 ❾ as ❿ than

개념 마무리 OX   (1) ×   (2) ○   (3) ○

실전어법 개념확인   p. 93

Point ❶   as, as, less, possible / **1** creative

Point ❷   than, the + 비교급 / **2** shorter   **3** bigger

Point ❸   복수, 서수 / **4** smallest

Point ❹   much, far, 없다 / **5** much

Point ❺   문법적 형태, 소유대명사 / **6** that

어법 REVIEW 1 *문장* 어법연습하기   pp. 94~95

A

1 as ▶ as+형용사 원급+as: ~만큼 …한

2 highest ▶ the+서수+최상급: ~번째로 가장 …한

3 less ▶ 열등 비교구문으로 little - less - least로 변화

4 most ▶ one of the 최상급+복수 명사: 가장 ~한 것들 중 하나

5 not as ▶ not as+ 형용사 원급+as: ~만큼 …하지 않은

6 much ▶ 비교급 강조는 much

7 highest ▶ 이어지는 명사 number를 수식하는 형용사의 최상급

B

1 even, much, still, far, a lot 등 ▶ very는 비교급 강조 불가

2 the most essential decisions ▶ one of the+최상급+복수 명사: 가장 ~한 것들 중 하나

3 the most oppressive ▶ 3음절 형용사의 최상급은 most를 사용

4 as much as ▶ 원급 비교구문: as+형용사 원급+as

5 ones ▶ 비교 대상이 복수 명사 explorations이므로 복수 명사 필요

6 faster ▶ 부사 fast의 비교급은 faster

7 quickly ▶ 원급 비교구문: as+부사 원급+as

해석

A

e.g. 그는 가능한 한 빨리 달렸고 자신을 공중으로 내던졌다.

1 인터넷 혁명은 세탁기와 다른 가전제품들만큼 중요하지는 않았다.

2 2016년에는, 관광업이 직접적으로 제공했던 남아시아에서의 일자리 수가 5개 지역들 중에서 가장 많았지만, 2017년에는 두 번째로 높았다.

3 2013년과 달리, 2015년에 '감독'의 비율은 '배우' 비율의 절반에 미치지 못했다.

4 눈은 가장 중요한 협동 수단 중 하나이고, 시선의 마주침은 우리가 차량 운행 중에 잃는 가장 강력한 인간의 힘일지도 모른다.

5 온라인 평가는 긍정적인 것이든 부정적인 것이든 사람 간의 직접적인 의견 교환만큼 강력하지는 않지만, 사업에 매우 중요할 수 있다.

6 이것은 긍정적인 어조로 문장을 마무리하는 것이고 누군가의 이의 제기를 불러일으킬 수 있는 경향을 훨씬 더 낮춘다.

7 5개 지역 중에, 동북아시아는 2017년에 관광업에 의한 직접적 일자리 창출에서 3천 49만 개로 가장 높은 수치를 보여 주었다.

B

e.g. 장기적으로 보면, 선의의 거짓말은 진실을 말하는 것보다 사람들에게 훨씬 더 많이 상처를 준다.

1 그것은 여전히 45개의 언어와 훨씬 더 큰 문화적 다양성을 가지고 있다.

2 어느 누구든 내릴 수 있는 가장 필수적인 선택 중 하나는 시간을 어떻게 투자하느냐이다.

3 가장 억압적인 산업혁명의 시대에조차, 사람들은 시간에 대한 자유 의지를 포기하지 않았다.

4 그들이 배에 담을 수 있는 만큼 먹었을 때, 그들은 여전히 허전함을 느끼고 추가적인 만족감에 대한 충동을 느낀다.

5 이런 탐험들은 인간의 생명에 아무런 위험도 주지 않으며 우주 비행사들을 포함하는 탐험보다 비용이 덜 든다.

6 "나는 네가 생각하는 것보다 더 빨리 걸을 수 있어." 할머니가 미소를 지으며 대답했다.

7 일단 협력이 경쟁을 대체하고 그룹들이 서로를 얕잡아 보기를 중단하자, 그룹 경계가 형성되었던 것만큼 빠르게 사라져 갔다.

어법 REVIEW 2 *짧은 지문* 어법연습하기   pp. 96~97

A   1 (A) less   (B) better   (C) fewer   2 (A) large (B) larger   (C) smallest

B   3 ③   4 ②

C   1 (A) as   (B) communities   2 (A) better and better (B) later

D   3 ②   4 ④

A

1 이 연구에서, 하나의 긍정적인 습관을 성공적으로 익힌 학생들은 더 적은 스트레스, 더 적은 충동적 소비, 더 나은 식습관, 줄어든 카페인 섭취, 더 적은 TV 시청 시간, 그리고 심지어 더 적은 더러운 접시를 보고했다.
> (A) 앞에 '긍정적인 습관을 성공적으로 익힌 학생'이라는 말이 나오므로, 스트레스가 '더 적은'이 알맞다.
> (B) 문맥상 '더 나은' 식습관이 적절하므로, better가 알맞다.
> (C) '더 적은' 더러운 접시가 문맥상 적절하고, dishes가 셀 수 있는 명사의 복수형이므로 fewer가 알맞다.

2 2012년에, 6-8세 연령대의 아이들의 비율은 15-17세 연령대의 아이들의 비율의 두 배였다. 2014년에, 6-8세 연령대 아이들의 비율은 다음 두 연령대 그룹, 12-14세와 15-17세 비율의 합보다 더 컸다. 2012년과 2014년의 비율의 차이는 12-14세 연령대에서 가장 작았다.
> (A) 빈칸 앞뒤에 있는 「as ~ as」로 보아 원급 비교구문이므로 원급이 적절하다.
> (B) 이어지는 than으로 보아 비교급 비교구문으로, 비율이 크고 작음을 나타내므로, larger가 적절하다.
> (C) 「the + 최상급 + in ~」으로 쓰인 최상급 비교구문이다.

B

3 갓 태어난 아기의 경우, 뇌의 비율은 65퍼센트에 달한다. 그것은 부분적으로 아기들이 항상 잠을 자는 이유이다. 실제로, 물질 단위당, 뇌는 다른 기관보다 훨씬 더 많은 에너지를 사용한다. 그것은 우리 장기 중 뇌가 가장 에너지 소모가 많다는 것을 의미한다.
> ③ → most / the와 이어진 형용사의 원급 expensive로 보아 최상급 구문임을 알 수 있으며, 문맥상 앞 문장에 '뇌가 다른 기관보다 훨씬 더 많은 에너지를 사용한다'는 말이 나오므로 최상급 the most expensive가 적절하다. by far는 최상급 강조에 주로 쓰이나 비교급 강조에도 사용할 수 있다.

4 위 표는 2015년과 2017년의 건강과 웰빙을 위한 여행인 건강 관광의 여행 수와 경비를 보여 준다. 총 여행 수와 총 경비 둘 다 2015년의 그것들에 비해서 2017년에 더 높았다. 나열된 여섯 개 지역 중에서, 유럽이 2015년과 2017년 두 해 모두 건강 관광을 위해 가장 많이 방문된 장소였으며, 아시아-태평양이 그 뒤를 따랐다.
> ② → those / 비교 대상이 앞에 나온 the total number of trips and the total expenditures이므로 수 일치를 위해 복수 대명사 those로 고쳐야 한다.

C

1 그 결과, 세계의 많은 지역에는 뚜렷한 정체성을 가진 공동체들이 존재하는 만큼 많은 종류의 춤들이 존재한다.
> (A) 앞에 나온 'as many ~'로 보아 '원급 비교'구문이다.
> (B) 비교구문의 두 비교 대상은 같은 문법 형태로 병렬구조를 이뤄야 하므로, 「there are + 복수 명사」가 적절하다.

2 소형 망원경을 하늘로 향하게 한 첫 번째 사람은 Galileo Galilei라는 이름을 가진 이탈리아 수학자이자 교수였다. 나중에 망원경이라 불리게 된, 점점 더 개선된 소형 망원경들을 만들면서, Galileo는 망원경을 달로 향하게 했다.
> (A) 비교급 and 비교급: 점점 더 …한/하게
> (B) '후에, 나중에'라는 의미의 later가 적절하다.

D

3 실제로, 연구는 학교에서 성공할 자신들의 능력에 자신감이 있는 학생들이 덜 자신감이 있는 학생들보다 학업 시험에서 더 잘하는 경향이 있음을 보여 준다. 대학에서 성공할 자신의 능력을 과신하는 학생

들은 더 적당한 기대감을 가진 학생들보다 결국 더 단절됨과 환멸을 느끼게 된다.
> ② → those / 비교 대상이 students로 복수형이므로, 복수 대명사 those로 고쳐야 한다.

4 그러나 원어민 수라는 면에서는, 전 세계에서 중국어가 가장 많이 사용되는 언어이며, 힌두어가 그 뒤를 잇는다. 영어 원어민 수는 스페인어 원어민 수보다 더 적다. 프랑스어는 원어민 수라는 면에서 다섯 개 언어 중 가장 적게 사용되는 언어이다.
> ④ → least / among the five(다섯 개 언어)와 앞에 나온 the로 보아 최상급 표현인 least로 고쳐야 한다.

어법 REVIEW 3 *서술형내신* 어법연습하기 pp. 98~99

1 01 Finland shows the highest percentage among the five countries. 02 the percentage (of people ~ on news sites) 03 Japan shows the lowest percentage among the five countries

2 01 the most important 02 영국의 인터넷 사용자들의 3분의 1 이상 03 were the least likely to select a tablet as their most important device

1. 구문분석 및 직독직해

❶ The above graph shows [how people in five countries /
위 도표는 보여 준다   다섯 개 국가에서 사람들이
간접의문문(의문사 + 주어 + 동사)

consume news videos: / on news sites versus via social
뉴스 영상을 소비하는 방식을   뉴스 사이트에서 대 소셜 네트워크를 통해

networks].

❷ Consuming news videos / on news sites / is more
뉴스 영상 소비는   뉴스 영상 사이트에서의
동명사(주어)   단수 동사

popular / than via social networks / in four countries.
더 인기가 있다 소셜 네트워크를 통한 것보다 네 개 국가에서
비교급 + than: ~보다 더 ~한[하게]   └ on news sites에 대응

❸ As for people [who mostly watch news videos / on news
사람들에 있어서는 주로 뉴스 영상을 시청하는   뉴스
└ 주격 관계대명사

sites], Finland shows [the highest percentage / among the
사이트에서 핀란드가 보여준다 가장 높은 비율을
the + 최상급 + 단수 명사   among + 복습 명사

five countries].
다섯 개 국가 중에서

❹ The percentage of people [who mostly watch news
사람들의 비율은   주로 뉴스 영상을 시청하는
└ 주격 관계대명사

videos / on news sites / in France] is higher than that in
뉴스 사이트에서 프랑스에서 독일에서의 그것(비율)보다 더 높다
= the percentage

Germany.

❺ As for people [who mostly watch news videos /
사람들에 있어서는 주로 뉴스 영상을 시청하는
└ 주격 관계대명사

via social networks], Japan shows [the lowest percentage /
소셜 네트워크를 통해 일본이 보여준다   가장 낮은 비율을
the + 최상급 + 단수 명사

among the five countries].
다섯 개 국가 중에서

❻ Brazil shows [the highest percentage of people {who
브라질은 보여 준다   사람들의 가장 높은 비율을
                    the+최상급+단수 명사   주격 관계대명사

mostly watch news videos / via social networks} among
주로 뉴스 영상을 시청하는   소셜 네트워크를 통해

the five countries].
다섯 개 국가 중에서

해석 위 도표는 다섯 개 국가에서 사람들이 뉴스 영상을 소비하는 방식을 보여 주는데, 뉴스 사이트에서의 뉴스 영상 소비 대 소셜 네트워크를 통한 뉴스 영상 소비이다. 뉴스 영상 사이트에서의 뉴스 영상 소비는 네 개 국가에서 소셜 네트워크를 통한 것보다 더 인기가 있다. 주로 뉴스 사이트에서 뉴스 영상을 시청하는 사람들에 있어서는, 핀란드가 다섯 개 국가 중에서 가장 높은 비율을 보여 준다. 프랑스에서 주로 뉴스 사이트를 통해 뉴스 영상을 시청하는 사람들의 비율은 독일에서의 그것(비율)보다 더 높다. 주로 소셜 네트워크를 통해 뉴스 영상을 시청하는 사람들에 있어서는, 다섯 개 국가 중에서 일본이 가장 낮은 비율을 보여 준다. 브라질은 다섯 개 국가 중에서 주로 소셜 네트워크를 통해 뉴스 영상을 시청하는 사람들의 가장 높은 비율을 보여 준다.

해설 01 문맥상 최상급이므로 high가 아닌 highest가 알맞다.

02 대명사 that이 가리키는 비교 대상은 앞의 the percentage (of people ~ on news sites)이다.

03 '~ 중에서 가장 …한 –'은 「the+최상급+단수 명사+among+복수 명사」로 쓴다.

2. 구문분석 및 직독직해

❶ The above graph shows / what devices British people
위의 도표는 보여 준다   영국인들이 어떤 장치들이 가장 중요하다고
                         의문형용사   생각했는지를

considered the most important / when connecting to the
생각했는지를   인터넷 접속을 할 때
                 최상급   분사구문 「주어+be동사」 생략

Internet / in 2014 and 2016.
           2014년과 2016년에

❷ More than a third of UK Internet users / considered
영국의 인터넷 사용자들의 3분의 1 이상이
          1/3   consider A to be B: A를 B하다고 생각하다

smartphones / to be their most important device / for
스마트폰을 생각했다   가장 중요한 장치로

accessing the Internet / in 2016.
인터넷 접속을 위한   2016년도에

❸ In the same year, / the smartphone overtook the laptop /
같은 해에   스마트폰이 노트북 컴퓨터를 추월하였다

as the most important device / for Internet access.
가장 중요한 장치로서   인터넷 접속을 위한
~로서(자격)

❹ In 2014, / UK Internet users / were the least likely to select
2014년에   영국 인터넷 사용자들은   태블릿을 가장 적게 선택하는
                                  be likely to: ~하는 경향이 있다

a tablet / as their most important device / for Internet access.
경향이 있었다   가장 중요한 장치로   인터넷 접속을 위한

❺ In contrast, / they were the least likely to consider a desktop
대조적으로   그들은 데스크톱 컴퓨터를 가장 적게 간주하는 경향이 있었다
                              consider A as B: A를 B로 간주하다

/ as their most important device / for Internet access / in 2016.
가장 중요한 장치로   인터넷 접속을 위한   2016년에는

❻ The proportion of UK Internet users [who selected a
영국 인터넷 사용자들의 비율은   데스크톱을 선택한
주어   ╰ 주격 관계대명사

desktop / as their most important device / for Internet access]
가장 중요한 장치로   인터넷 접속을 위한

/ increased by half from 2014 to 2016.
2016년도에 2014년도 비율의 절반만큼 증가하였다
동사

해석 위의 도표는 2014년과 2016년에 영국인들이 인터넷 접속을 할 때 어떤 장치들이 가장 중요하다고 생각했는지를 보여 준다. 2016년도에 영국의 인터넷 사용자들의 3분의 1 이상이 스마트폰을 가장 중요한 인터넷 접속 장치로 생각했다. 같은 해에, 스마트폰이 인터넷 접속을 위해 가장 중요한 장치로서 노트북 컴퓨터를 추월하였다. 2014년에, 영국 인터넷 사용자들은 인터넷 접속을 위한 가장 중요한 장치로 태블릿을 가장 적게 선택하는 경향이 있었다. 대조적으로, 2016년에는 인터넷 접속을 위한 가장 중요한 장치로 데스크톱 컴퓨터를 가장 적게 간주하는 경향이 있었다. 인터넷 접속을 위한 가장 중요한 장치로 데스크톱 컴퓨터를 선택한 영국 인터넷 사용자들의 비율은 2016년도에 2014년도 비율의 절반만큼 증가하였다.

해설 01 important의 최상급은 앞에 most를 붙이고, 형용사의 최상급 앞에 the를 쓰는 것에 주의한다.

02 more than은 '~ 이상'이라는 의미이며, 'a third of ~'는 '~의 3분의 1'을 의미한다.

03 '~하는 경향이 있었다'는 「were likely to+동사원형」으로, '가장 적게'는 the least로 쓰고, '~을 …로 선택하다'는 「select ~ as …」로 쓴다.

Unit 13 특수구문

문법 확인   p. 100

❶ do ❷ (조)동사, 주어 ❸ not ❹ 명사 ❺ 주어
❻ 뒤 ❼ 삭제 ❽ be동사

개념 마무리 OX   (1) ○   (2) ×   (3) ×

실전어법 개념확인   p. 101

Point ❶   be동사, that, do / **1** that   **2** do
Point ❷   앞, (조)동사 / **3** lived a rich man
Point ❸   명사, of / **4** not always
Point ❹   의문사, 형용사 / **5** I could   **6** disclosure is

어법 REVIEW 1  어법연습하기   p. 102

A

1 do have to leave

2 what the climate was like

3 Here is how it works

4 no interest in their studies

5 does it become easier

6 is the story in history that

7 have not always had the abundance

8 how much new information is available

해석
A
e.g. 그 다음에, 그는 자신이 Toby의 셔츠를 가질 수 있는지 물었다.

1 그 때 나는 "지금 정말 떠나야 하죠, 그렇지 않나요?"라고 말했다.

2 특히 매우 나이가 많은 나무는 기후가 어떠했는지에 대한 단서를 제공해 줄 수 있다.

3 그것이 작동하는 방식이 여기 있다: 당신은 읽을 때 아마도 (중요한 것을) 눈에 띄게 표시하면서, 그 장을 한 번 읽는다.

4 학생들은 공부에 관심이 없을 때에도 좋은 성적을 얻기 위해 공부한다.

5 계속하여 하나의 습관을 충분히 오래 들이려고 노력하라, 그러면 그 습관이 더 쉬워질 뿐만 아니라, 다른 일들 또한 더 쉬워진다.

6 스토리텔러 Syd Lieberman은 사실을 걸기 위한 못을 제공하는 것은 바로 역사 속의 이야기라고 말한다.

7 인간이 오늘날 대부분의 선진국에서 즐기는 음식의 풍부함을 항상 가졌던 것은 아니다.

8 시간의 속도와 그것에 대한 우리의 인지는 우리의 마음이 흡수하고 처리할 새로운 정보가 얼마나 많이 있는가에 매우 영향을 받는다.

어법 REVIEW 2 짧은 지문 어법연습하기   p. 103

A   **1** (A) never (B) did   **2** (A) There are many methods
      (B) if their ideas are

B   **3** ③   **4** ③

A

1 비록 용들이 오늘날 만들어진 이야기에서 중요한 역할을 한다 해도, 항상 인간의 상상의 산물이었으며 결코 존재하지 않았다. 그러나 공룡은 한때 실제로 살았다.
▸ (A) 전체부정을 나타내는 never가 알맞다. no는 「no+명사」의 형태로 사용된다.
   (B) 동사 live를 강조하는 do이고, 문장의 시제가 과거이므로 did가 알맞다.

2 우주의 불가사의한 것들에 관한 답을 찾는 많은 방법이 있고, 과학은 이러한 것들 중 단지 하나이다. 그러나, 과학은 독특하다. 추측하는 대신에, 과학자들은 그들의 생각이 사실인지 거짓인지 증명하도록 고안된 체계를 따른다.
▸ (A) there 도치구문의 어순은 「there+동사+주어」이다.
   (B) 의문사가 없는 간접의문문의 어순은 「if+주어+동사」이다.

B

3 걸어서 농장으로 돌아가는 길에, Mary는 왜 백인들은 온갖 종류의 좋은 것들을 가지고 있으며, 무엇보다도, 왜 그들은 읽을 줄 아는데 흑인들은 읽을 줄 모르는지 의아해했다. 그녀는 읽는 법을 배우기로 결심했다. 집에서 그 어린 소녀는 아버지에게 학교에 다니게 해 달라고 요청했지만, 그는 그녀에게 "학교가 없단다."라고 조용히 말했다.
▸ ① → any 삭제 또는 not any / 전체부정의 형태는 「no+명사」 또는 「not+any」이므로 any를 삭제하거나 no를 not으로 고쳐야 한다.

4 상관관계의 관찰로부터, 우리는 하나의 변인이 제2의 변인과 연관되어 있다고 결론을 내린다. 그러나 관련성이 있다 하더라도 두 가지 행동 모두가 직접적으로 나머지 하나의 행동을 초래하지 않을 수도 있다. 다음 예는 상관관계의 관찰에 기초하여 인과관계의 진술을 하는 것이 왜 어려운지를 보여줄 것이다.
▸ ③ → why it is / 간접의문문의 어순은 「의문사+주어+동사」이므로 why it is로 고쳐야 한다.

어법 REVIEW 3 서술형내신 어법연습하기 pp.104~105

1 **01** We do arrange our lives in largely repetitive schedules. **02** there are too many forces working against each other **03** 다음에 무엇이 올지 안다는 점 때문에 우리에게 안정감을 준다.

2 **01** how we invest time / 간접의문문의 어순은 「의문사+주어+동사」 **02** Many factors determine what we should do **03** people never gave up their free will when it came to time

1. 구문분석 및 직독직해

❶ We notice repetition / among confusion, / and the
우리는 반복을 알아차린다   혼돈 속에서   그리고 그 반대, 즉
opposite: / we notice a break / in a repetitive pattern.
단절을 알아차린다   반복적인 패턴에서의

❷ But / how do / these arrangements / make us feel?
그러나 어떻게 이러한 배열들이   우리로 하여금 느끼도록 만들까
make(사역동사)+목적어+동사원형

❸ And what about / "perfect" regularity and "perfect" chaos?
그리고 ~은 어떨까   '완전한' 규칙성과 '완전한' 무질서는

❹ Some repetition / gives us a sense of security, / in that /
어느 정도의 반복은   우리에게 안정감을 준다   ~라는 점에서
give(수여동사)+IO+DO
we know / what is coming / next.
우리가 안다는 무엇이 올지   다음에
간접의문문: 의문사(주어)+동사

❺ We like / some predictability.
우리는 좋아한다 어느 정도의 예측 가능성을

❻ We do arrange / our lives / in largely repetitive schedules.
우리는 정말로 배열한다 우리 생활을 대체로 반복적인 스케줄 속에
동사를 강조하는 조동사

❼ With "perfect" chaos / we are frustrated / by having to
'완전한' 무질서로 인해   우리는 좌절한다   주어
                                    (to)
adapt and react / again and again.
적응하고 대응해야만 하는 것에   계속해서
have to+동사원형: ~해야만 한다

❽ But "perfect" regularity / is perhaps even more horrifying /
그러나 '완전한' 규칙성은   아마도 훨씬 더 끔찍할 것이다
                       비교급 강조   비교급
in its monotony / than randomness is.
그것의 단조로움에 있어서 임의성보다
                    ~보다

❾ It implies / a cold, unfeeling, mechanical quality.
그것은 의미한다   차갑고, 냉혹하며, 기계적인 특성을

❿ Such perfect order / does not exist / in nature; / there
그러한 완전한 질서가   존재하지 않는다   자연에는
are too many forces / working against each other.
힘이 너무 많다   서로 대항하여 작용하는
도치구문: there+동사+주어 ↳현재분사

⓫ Either extreme, / therefore, / feels threatening.
어느 한쪽의 극단은   그러므로   위협적으로 느껴진다
feel+형용사 보어

해석 우리는 혼돈 속에서 반복을 알아차리고 그 반대, 즉 반복적인 패턴에서의 단절을 알아차린다. 그러나 이러한 배열들이 우리로 하여금 어떻게 느끼도록 만들까? 그리고 '완전한' 규칙성과 '완전한' 무질서는 어떨까? 어느 정도의 반복은 우리가 다음에 무엇이 올지 안다는 점에서 우리에게 안정감을 준다. 우리는 어느 정도의 예측 가능성을 좋아한다. 우리는 대체로 반복적인 스케줄 속에 우

리 생활을 배열한다. '완전한' 무질서로 인해 우리는 계속해서 적응하고 대응해야만 하는 것에 좌절한다. 그러나 '완전한' 규칙성은 아마도 그것의 단조로움에 있어서 임의성보다 훨씬 더 끔찍할 것이다. 그것은 차갑고 냉혹하며 기계 같은 특성을 의미한다. 그러한 완전한 질서가 자연에는 존재하지 않으며 서로 대항하여 작용하는 힘이 너무 많다. 그러므로 어느 한쪽의 극단은 위협적으로 느껴진다.

해설 **01** 동사를 강조하는 「do+동사원형」 형태가 와야 하는데, 주어의 수와 문장의 시제에 따라 do arrange로 써야 한다.
02 there 도치구문 어순은 「there+동사+주어」이다.
03 네 번째 문장 Some repetition ~ coming next.에 어느 정도의 반복이 우리에게 안정감을 주는 이유가 나와 있다.

2. 구문분석 및 직독직해

❶ One of the most essential decisions / any of us can
가장 필수적인 선택 중 하나는   어느 누구든 내릴 수 있는
one of+최상급+복수 명사+단수 동사   (목적격 관계대명사 생략)
make / is how we invest our time.
            시간을 어떻게 투자하느냐이다
            간접의문문

❷ Of course, / how we invest time / is not our decision /
물론   시간을 어떻게 투자하는지는 우리의 결정이 아니다
            간접의문문
alone to make.
단독으로 내릴
형용사적 용법
                                   either A or B: A 혹은 B
❸ Many factors determine / what we should do / either
많은 요인들이 결정한다   우리가 해야 할 일들을 either
                        관계대명사 what
because we are members of the human race, / or because
인류의 구성원이기 때문에   or because
이유1/병렬구조   이유2/병렬구조
we belong to a certain culture and society.
혹은 특정 문화와 사회에 속해 있기 때문에

❹ Nevertheless, / there is room for personal choice, / and
그럼에도 불구하고   개인이 선택할 수 있는 여지는 있으며
control over time / is to a certain extent / in our hands.
시간에 대한 통제권은   어느 정도 있다   우리 손 안에
                     어느 정도

❺ Even in the most oppressive decades / of the Industrial
가장 억압적인 시대에조차   산업혁명의
Revolution, / people didn't give up / their free will / when it
사람들은 포기하지 않았다   자유 의지를   when it
came to time.
시간에 관한 한
when it comes to: ~에 관한 한

❻ During this period, / people worked / for more than eighty
이 시기에   사람들은 일했다   일주일에 80시간 이상
during+기간   ~이상
hours a week / in factories.
                공장에서

❼ But there were some [who spent their few precious
하지만 일부의 사람들도 있었다   자신들의 얼마 안 되는 소중한 자유 시간을
there 도치구문   ↳주격 관계대명사
free hours / reading books or getting involved in politics /
            독서나 정치 참여에 사용하는
spend+시간+-ing: ~하면서 시간을 보내다
instead of following the majority into the pubs].
다수를 따라 술집에 가는 대신
~ 대신에

해석 어느 누구든 내릴 수 있는 가장 필수적인 선택 중 하나는 시간을 어떻게 투자하느냐이다. 물론, 시간을 어떻게 투자하는지는 우리

UNIT 13 특수구문 · 39

가 단독으로 내릴 결정이 아니다. 인류의 구성원이기 때문에, 혹은 특정 문화와 사회에 속해 있기 때문에 많은 요인들이 우리가 해야 할 일들을 결정한다. 그럼에도 불구하고, 개인이 선택할 수 있는 여지는 있으며 시간에 대한 통제권은 어느 정도 우리 손 안에 있다. 가장 억압적인 산업혁명의 시대에조차 사람들은 시간에 관한 한 자유 의지를 포기하지 않았다. 이 시기에, 사람들은 공장에서 일주일에 80시간 이상 일했다. 하지만 다수를 따라 술집에 가는 대신, 자신들의 얼마 안 되는 소중한 자유 시간을 독서나 정치 참여에 사용하는 일부의 사람들도 있었다.

해설 **01** 간접의문문은 「의문사+주어+동사」의 어순으로 쓴다.

02 '우리가 해야 할 일들'은 what we should do로 쓴다.

03 did not을 전체부정 never로 바꾸되 동사 give up은 문장의 시제에 따라 과거형인 gave up으로 바꿔야 한다.

수능 개념+유형+실전 대비서

2022 신간

핵심 개념부터 실전까지, 고품격 수능 대비서

고등 수능전략

전과목 시리즈

체계적인 수능 대비	신유형 문제까지 정복	실전 감각 익히기
하루 6쪽, 주 3일 학습으로 핵심 개념과 유형, 실전까지 빠르고 확실하게 준비 완료!	수능에 자주 나오는 유형부터 신유형·신경향 문제까지 다양한 유형의 문제를 마스터!	수능과 모의평가 유형의 구성으로 단기간에 실전 감각을 익혀 실제 수능에 완벽하게 대비!

개념과 유형, 실전을 한 번에!

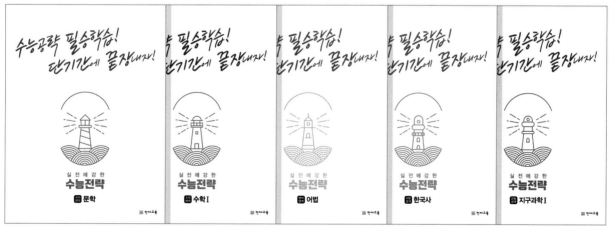

국어: 고2~3(문학/독서/언어와 매체/화법과 작문)
수학: 고2~3(수학 I /수학 II /확률과 통계/미적분)
영어: 고2~3(어법/독해 150/독해 300/어휘/듣기)

사회: 고2~3(한국사/사회·문화/생활과 윤리/한국지리)
과학: 고2~3(물리학 I /화학 I /생명과학 I /지구과학 I)

Starter

배움으로 행복한 내일을 꿈꾸는
천재교육 커뮤니티 안내

 교재 안내부터 구매까지 한 번에!
천재교육 홈페이지

자사가 발행하는 참고서, 교과서에 대한 소개는 물론
도서 구매도 할 수 있습니다. 회원에게 지급되는 별을 모아
다양한 상품 응모에도 도전해 보세요!

 다양한 교육 꿀팁에 깜짝 이벤트는 덤!
천재교육 인스타그램

천재교육의 새롭고 중요한 소식을 가장 먼저 접하고 싶다면?
천재교육 인스타그램 팔로우가 필수!
깜짝 이벤트도 수시로 진행되니 놓치지 마세요!

 수업이 편리해지는
천재교육 ACA 사이트

오직 선생님만을 위한, 천재교육 모든 교재에 대한 정보가 담긴
아카 사이트에서는 다양한 수업자료 및 부가 자료는 물론
시험 출제에 필요한 문제도 다운로드하실 수 있습니다.

https://aca.chunjae.co.kr

 천재교육을 사랑하는 샘들의 모임
천사샘

학원 강사, 공부방 선생님이시라면 누구나 가입할 수 있는 천사샘!
교재 개발 및 평가를 통해 교재 검토진으로 참여할 수 있는 기회는 물론
다양한 교사용 교재 증정 이벤트가 선생님을 기다립니다.

 아이와 함께 성장하는 학부모들의 모임공간
튠맘 학습연구소

튠맘 학습연구소는 초·중등 학부모를 대상으로 다양한 이벤트와 함께
교재 리뷰 및 학습 정보를 제공하는 네이버 카페입니다.
초등학생, 중학생 자녀를 둔 학부모님이라면 튠맘 학습연구소로 오세요!